FOL

Marcel Moussy/François Truffaut

LES 400 COUPS

Récit d'après le film de François Truffaut

Gallimard Jeunesse

DISTRIBUTION

Antoine DOINEL	Jean-Pierre LEAUD
René BIGEY	Patrick AUFFAY
Gilberte DOINEL	Claire MAURIER
Julien DOINEL	Albert REMY
M. BIGEY	Georges FLAMANT
Mme BIGEY	Yvonne CLAUDIE
P'TITE FEUILLE	Guy DECOMBLE

Scénario de
François TRUFFAUT

Adaptation de
Marcel MOUSSY et François TRUFFAUT

Dialogue de
Marcel MOUSSY

Mise en scène de
François TRUFFAUT

Images de
Henri DECAE

Musique de
Jean CONSTANTIN

Production
Les Films du Carrosse et S.E.D.I.F.

1

Antoine Doinel se demandait s'il cesserait un jour d'avoir treize ans. Le cours complémentaire où il purgeait sa peine de scolarité était le plus proche de la rue des Martyrs. M. Bargeron, chargé d'y enseigner les lettres et l'histoire, se complaisait l'après-midi à de fastidieuses interrogations écrites. D'où son surnom : P'tite Feuille.

Ce jour-là, les dix questions sur Byzance créaient une tension apparemment studieuse. Porte-plume mordillés, langues tirées, regards jetés au plafond, autant de signes d'efforts douloureux, plus souvent joués que vécus. Du haut de son estrade, P'tite Feuille semblait s'en désintéresser.

Vers le fond, discrètement, un peu de lumière jaillit d'un pupitre : une starlette en maillot découpée dans un magazine. Abou, le petit Arménien, la considéra un instant avant de la passer à son voisin. De table en table, elle chemina comme un rafraîchissement. Quand elle parvint à Antoine, il y ajouta des moustaches.

– Doinel, apportez-moi ce que vous avez là.

Une fois de plus, P'tite Feuille avait feint la distraction. Antoine se leva à contrecœur et approcha à pas traînants de l'estrade. P'tite Feuille mit ses lunettes :

– Ah ! c'est joli !

Il observait la photo avec un mélange d'indignation et d'intérêt.

– Au piquet !

Il glissa la photo dans sa serviette tout en disant machinalement :

– Bien entendu, c'est suffisant pour faire sauter votre Tableau d'Honneur.

Antoine avait déjà disparu derrière le tableau noir, dans un recoin qui lui était familier.

Le professeur regarda sa montre, et s'adressant à l'ensemble de la classe, il constata avec détachement :

– Plus qu'une minute !

– Oh !

La protestation rituelle avait soulagé tous les poumons, et le non moins rituel : « Silence ! » y répondit. P'tite Feuille s'engagea entre deux rangées pour gagner le fond de la classe. De là, il pouvait jouer d'un nouvel effet :

– Les chefs de rangée peuvent se tenir prêts.

Nouvelle protestation, plus intense, plus dramatique. Supplication muette au ciel de celui qui ne trouve pas, inspiration subite et forcenée de celui qui s'engage définitivement dans l'erreur...

– Je compte jusqu'à trois. Un... deux... trois ! Ramassez.

Les chefs de rangée se précipitèrent vers les copies. Bertrand Mauricet, réputé pour son zèle, se jeta avec avidité sur celle de René Bigey, le voisin d'Antoine.

– Ramasse derrière ! chuchota René.

– Non, donne !

– Une seconde, quoi !

– Qu'est-ce qui se passe ? intervint P'tite Feuille.

– Y veut pas donner sa feuille, M'sieur !

– Pas de favoritisme !

Fort de cette approbation, Mauricet arracha la feuille des mains de René, occasionnant ainsi une longue traînée d'encre sur la copie. René se retourna pour lui dire entre ses dents : « P'tite vache ! » La tête d'Antoine surgissant derrière le tableau noir, René lui fit un signe d'entendement qui en disait long sur la turpitude de Mauricet.

La sonnerie de la récréation vida soudain la classe en un remous. Impuissant, P'tite Feuille ne put endiguer le flot pour s'assurer que toutes les copies avaient été remises. Comme Antoine sortait de sa cachette pour suivre le mouvement général, il le repéra :

– Ah ! non, pardon, monsieur le lycéen. Chez nous, la récréation n'est pas un dû, c'est une récompense.

Exclu de plusieurs lycées et collèges, Antoine devait subir chaque jour de telles allusions à son passé. Excédé, il regagna son coin tandis que le professeur refermait la porte à clé derrière lui.

Bientôt un esprit de vengeance l'inspira. Sortant un bout de crayon de sa poche, il écrivit sur le mur avec application :

Ici souffrit le pauvre Antoine Doinel
puni injustement par P'tite Feuille
Pour une pin-up tombée du ciel...

Il compta les syllabes sur ses doigts, comme son bon maître le lui avait appris, avant de rajouter :

Entre nous ce sera : œil pour œil, d...

Il barra œil pour œil et rectifia ainsi le dernier vers :

Entre nous ce sera, dent pour dent, œil pour œil.

De la cour de récréation parvenait un grondement de liberté.

Ils étaient déchaînés ce jour-là, et les deux professeurs qui allaient et venaient parmi eux avaient le plus grand mal à poursuivre une discussion d'ordre professionnel.

– Mon vieux, disait un nommé Couturier qui habitait rue Lepic, je t'ai déjà dit : quand y a ma tante à la maison, faut pas monter. Après c'est moi qui me fais engueuler.

– T'as qu'à mettre un drapeau à la fenêtre, dis, quand y a ta tante...

M. Bargeron hocha la tête : quel milieu familial !

– Au secours, les gars, je suis aveugle ! cria un petit bonhomme qui avait rabattu sa casquette sur ses yeux.

Rien ne leur était sacré.

– ... Alors, Olive y dit à Marius : parce que je veux pas de bâtards dans la famille.

On ricana autour du conteur. Essayant d'ignorer ce tumulte, M. Bargeron revint à la charge auprès de son collègue :

– Moi, je ne marcherai que s'il s'agit d'une grève apolitique.

– Mais, mon cher, il n'y a pas de grève apolitique.
– Ah ! mais pardon, pardon, du temps d'André Marie...
– Vous n'avez pas marché non plus.
– Parce qu'on ne s'en est pas tenu aux barèmes de reclassement...

Au bout de la cour, ils tombèrent inconsidérément sur un concours de crachats.

– Allez, à toi !
– Oh ! poussif !
– J'suis pas tubar, moi.
– En tout cas, pour molarder plus loin que moi...
– Décidément, vous inventez des joutes d'un raffinement !

Ils firent demi-tour, écœurés. Le petit Collombel, un garçon sérieux, demandait à Mauricet :

– Et sous l'eau, combien de temps que t'arrives à rester sans respirer ?

Les arbres dénudés, la grisaille de novembre ne mettaient aucun frein à leurs rêves d'évasion. Une séance d'hypnotisme faisait cercle autour d'un grand garçon qu'un petit brun magnétisait dans un style de music-hall :

– Laissez votre grand corps mou... écoutez ma voix, respirez longuement, longuement... détendez-vous et dormez...

Couturier faisait recette lui aussi :

– Alors, y a un petit mec de la rue de Navarin qui sort de la bande et qui me dit : tu peux compter tes dents, parce que tout à l'heure y faudra que t'ailles les repêcher dans l'égout...

Le professeur d'anglais, surnommé Bécassine, restait à l'écart, comme toujours. Il marchait très raide, le buste en arrière, les bras croisés derrière le dos. Un élève qui avançait penché en avant, à l'indienne, le heurta comme par mégarde. Bécassine lui plaça les bras derrière le dos et le renvoya à ses jeux. Le gosse repartit en imitant exactement l'attitude du professeur.

– Mon père m'a promis un stylo si j'étais premier, dit un cancre. Alors j'y ai dit : « Je serais sûrement premier, si j'avais un stylo. »

La sonnerie de la récréation interrompit le récit de Couturier, toutes les parties, toutes les palabres. Au coup de sifflet, les élèves rejoignirent chacun leur file en reprenant leurs masques renfrognés.

René Bigey rentra l'un des premiers en classe et lut avec admiration les vers de son ami. Mais Antoine s'inquiétait déjà :

– Passe-moi une gomme que j'efface.

– Tu vas tout saloper. Vaudrait mieux racler au canif.

René alla en chercher un d'une table à l'autre. Tous les élèves affluaient derrière le tableau noir en quête de nouveauté.

– Barrez-vous, quoi, dit Antoine. Sinon je vais encore prendre.

Mais Mauricet insista lourdement :

– Oh ! les gars, ce que c'est marrant !

– Ta gueule !

Les rires fusaient autour de l'inscription. René rapporta vivement un canif, mais se retint de le donner à Antoine, car P'tite Feuille, entré le dernier, avançait d'un air soupçonneux. Les autres se dispersèrent tandis qu'Antoine essayait de masquer son œuvre.

P'tite Feuille l'écarta, lut les quatre vers et se dirigea

vers l'estrade. Alors, prenant toute la classe à témoin, il ironisa :

– Bravo, nous avons un nouveau Juvénal dans la classe, un véritable produit de l'enseignement secondaire ! Il manie l'invective avec beaucoup de rigueur. Seulement, il n'est pas encore capable de distinguer un alexandrin d'un décasyllabe.

Il se tourna vers Antoine pour lui dire plus bas :

– Ah ! je vais t'en foutre, moi, des p'tites feuilles. Elles vont se multiplier comme les p'tits pains, les p'tites feuilles !

Puis, de nouveau distant et terrible :

– *Primo* : vous allez me conjuguer pour demain – allez à votre place noter la phrase – à tous les temps de l'indicatif, du subjonctif et du conditionnel… Les autres, prenez votre cahier de récitation.

Il devenait napoléonien en menant ainsi deux tâches à la fois. Antoine avait ouvert précipitamment son cahier de textes et s'efforçait de noter sa punition :

– … je dégrade les murs de la classe… de la classe… et je malmène… malmène la pro-so-die – en un mot – française.

Il répéta en écho et avec sentiment : « française ». Puis faisant front à toute la classe, il lâcha comme une volée de plombs : « Le lièvre ! »

Histoire de se donner un peu de plaisir, le dénommé Mulard demanda :

– On met la date, M'sieur ?

– On met toujours la date. Cela va sans dire… au sens propre de l'expression. *Secundo* – c'est à vous Doinel que je m'adresse. Vous allez immédiatement aller chez le concierge me chercher de quoi effacer ces insanités.

– Qu'est-ce qu'il faut, M'sieur ?

– Un chiffon, du savon, ce que vous voudrez. Sinon, je vais vous les faire lécher, mon ami.

Antoine se leva et sortit, la mine basse. Le concierge n'était pas de rapports faciles. P'tite Feuille le savait bien, et c'est avec une certaine satisfaction qu'il se mit à écrire au tableau le titre, puis le corps du poème, tout en articulant chaque vers :

Au temps où les buissons flambent de fleurs
vermeilles,
Quand déjà le bout noir de mes longues oreilles
Se voyait par-dessus les seigles encor verts
Dont je broutais les brins en jouant au travers…

Cet exercice de copie, donc de facilité, était le bienvenu. Abou, le petit Arménien, se disposait tout comme les autres à s'y consacrer en toute quiétude. Il ouvrit donc un cahier neuf. Mais dès qu'il écrivit « Cahier de récitation », un pâté l'obligea à arracher la première page. Diverses autres fautes ou ratures, puis de l'encre plein les doigts précipitèrent ce processus d'amenuisement, si bien qu'il se retrouva en fin de compte avec un cahier neuf réduit à quelques feuilles. On se moqua autour de lui, tandis que le poème se déroulait inexorablement :

… Un jour que, fatigué, je dormais dans mon gîte,
La Petite Margot me surprit. Je m'agite…

P'tite Feuille se retourna brusquement :

– Je ne suis pas le seul, n'est-ce pas, Simonot ?

– J'ai rien fait, M'sieur.

– Naturellement, c'est toujours l'autre.

Antoine venait de rentrer discrètement, une serpillière et du savon à la main. Avant de regagner son coin, il passa derrière le professeur et lui fit vivement les cornes.

– Qu'est-ce qui se passe encore ? dit P'tite Feuille sans se retourner.

René Bigey se décida à faire diversion :

– M'sieur, M'sieur, il faut pas un *e* à encore ?

– Vous vous fichez de moi, Bigey ?

– Non, M'sieur, dans le troisième vers, vous avez pas mis de *e* à encore.

Le professeur se radoucit :

– Effectivement, effectivement, votre remarque est fondée. Ce n'est pas moi, c'est le poète Jean Richepin qui a omis cet *e* muet pour gagner une syllabe. C'est ce qu'on appelle une licence poétique.

René remercia hypocritement tout en copiant la suite :

Je veux fuir. Mais je reste si faible, si craintif !
Elle me tint dans ses bras : je fus captif.
Certes, elle m'aimait bien, la gentille maîtresse…

Quelques murmures énamourés percèrent de-ci, de-là, atteignant le dos du professeur comme des ondes électriques. René se dévoua encore :

– M'sieur, y a Chabrol qui se demande pourquoi y a pas un *s* à certes. Ça doit encore être une licence poétique, pas vrai, M'sieur ?

– Parfaitement.

Sensible à l'énervement général, P'tite Feuille articula plus nettement :

Quelle bonté pour moi, que de soins, de tendresse !
Comme elle me pressait sur ses petits genoux…

Derrière lui, c'était du délire. Les bras s'étreignaient autour des corps en de grotesques mimiques amoureuses quand, par la voix du pédagogue, le poète insista : « Et me baisait ! » Un sifflement très net, à deux temps, souligna l'effet.

– Quel est l'imbécile qui a sifflé ?

Il avait pivoté sur place en hurlant sa question, que des visages impassibles accueillirent.

– Ah ! je vous préviens : je vais être injuste. Si le coupable ne se dénonce pas, c'est le voisin qui prendra… n'est-ce pas Simonot ?

Simonot bondit sur place, personnifiant l'innocence bafouée :

– Mais je vous jure, M'sieur…

– Taisez-vous !

– C'est pas moi, M'sieur.

– Des lâches en plus… Ah ! quelle année, quelle classe ! J'en ai connu des crétins, mais au moins ils étaient discrets, polis, ils restaient dans leur coin…

Son mouvement oratoire payant entraîné du côté d'Antoine, il enchaîna :

– Et vous ? Vous pensez avoir effacé ?… Non, vous avez sali, mon ami. Allez à votre place me copier la récitation. Tant pis pour vous, vos parents paieront… Ah ! elle va être un peu belle la France dans dix ans !

Ainsi, cet après-midi de novembre, l'atmosphère resta à l'orage jusqu'à l'heure de la sortie.

2

Dehors, les mères des plus petits attendaient, les happant au passage à leur grand regret, juste au moment où les merveilles de la rue s'ouvraient devant eux. Pour René comme pour Antoine, un compte restait à régler.

Affublé d'une paire de magnifiques lunettes sous-marines, Mauricet avait filé l'un des premiers comme un explorateur d'eaux troubles.

– Ben quoi, tout le monde fauche de l'argent à ses parents, dit René.

– C'est pas toujours facile.

– Même Mauricet, je te parie.

Mauricet avait tressailli en les entendant se rapprocher.

– Aie pas peur, Mauricet, on a un renseignement à te demander.

Mi-flatté, mi-inquiet, Mauricet se retourna.

– Où tu les as achetées, ces belles lunettes ? demanda René.

– Au Bazar de l'Hôtel de Ville.

– Et l'argent, tu l'avais piqué à ton père ou à ta mère ?

Vexé, Mauricet haussa les épaules.

– Ben quoi, avec ta bobine de faux-jeton, tu vas pas nous dire que tu leur fais pas les poches de temps en temps.

Mauricet s'éloigna aussi dignement que possible, poursuivi par leurs injures : cafard, lécheur, affreux, Mauricet ! Y va t'arriver du monde, Mauricet. Tes jours sont comptés, Mauricet !

Soulagés par ces menaces vagues et terrifiantes, les deux copains remontèrent la rue des Martyrs. Mais en approchant de chez lui, sur la petite place agrémentée de trois arbres chétifs et d'une vespasienne, Antoine réalisa de nouveau l'importance de sa punition.

– J'arriverai jamais à finir ce soir. Tu te rends compte, tout le subjonctif…

– Que je dégradasse les murs de la classe…

– Quel salaud, ce P'tite Feuille !

– C'est son métier.

– La photo quand même, c'est pas moi qui l'ai amenée.

– Tu payes pour les autres.

– N'empêche qu'avant d'aller au service militaire, mon vieux, je lui bourrerai bien la gueule. On se marrera, tiens… Salut !

– Salut ! dit René, et il regarda son copain pénétrer sous le porche noir de sa maison.

L'appartement des Doinel était si exigu qu'on avait installé le divan du « gosse » dans le couloir, et qu'il bloquait à demi la porte.

En l'entrouvrant, Antoine dut enjamber comme d'habitude l'extrémité du divan. Il jeta son cartable sur la table de la salle à manger et alla risquer un coup d'œil dans la chambre de ses parents, sanctuaire du désordre et du mystère conjugal, avec une coiffeuse encombrée de tubes gras et de tout un arsenal de produits de beauté. Parmi eux, un instrument l'attirait particulièrement, une espèce de pince à friser les cils dont la tête globulaire devait s'adapter sur l'œil. Il s'assit devant la glace floue, dans la pénombre, et essaya de l'utiliser en imitant les gestes de sa mère. Mais en appuyant sur le déclic, le contact du métal froid sur la paupière lui donna un léger mouvement de répulsion, et il reposa sur la coiffeuse le mystérieux engin.

Revenu dans la salle à manger, il retrouva la routine utilitaire de chaque jour. Il mit un peu de charbon dans le poêle et s'essuya les mains aux rideaux. Puis, d'une fente pratiquée sous le manteau de la cheminée, il retira l'argent que sa mère avait laissé pour faire les commissions, dont la liste était posée en évidence sur la table.

A l'épicerie on faisait queue à cette heure. Deux commères en profitaient pour se faire des confidences :

– Oui, il a fallu lui mettre les fers. Y s' présentait par les fesses. Remarquez qu' ça tient un peu de famille. Paraît qu' pour sa mère c'était pareil.

– Oh, ça veut rien dire. Regardez, moi, pour le premier, hé ben, en dix minutes c'était fini. Mais pour la petite, pardon ! Si on m'avait pas fait une césarienne, ben, je serais pas en train de vous parler à c' t' heure.

– Et ma sœur, un par an, vous vous rendez compte. Au prochain, je vous condamne, qui lui avait dit l' docteur. A la fin, y lui ont tout enlevé...

Écœuré, il décida de changer de crémerie. Mais chez le concurrent, il s'aperçut qu'il avait perdu le mot des commissions. Il s'en tira en réglant ses achats sur l'habitude.

Rentré chez lui, il ne lui restait plus qu'à mettre le couvert à une vitesse d'automate. Il précipita un peu trop le mouvement et cassa une assiette. En essayant d'en fourrer les morceaux dans les profondeurs de la boîte à ordures, il découvrit un de ces tampons rouges dont il connaissait depuis peu l'origine féminine.

Installé enfin sur la table, il se disposait à conjuguer le présent de l'indicatif lorsque la clé tourna dans la serrure. Aussitôt il cacha vivement la feuille de sa punition et sortit un livre pour donner le change.

– Bonsoir, M'man.

– Bonsoir, bonsoir. Où est la farine ?

– Quelle farine ?

– Mais, qu'est-ce que c'est que ça ? Tu n'as pas acheté ce que j'avais marqué ?… Où tu as mis le mot que je t'avais laissé ?

– Je l'ai perdu.

– Ah ! Pas étonnant après ça que tu aies de si mauvaises notes. Allez, va me chercher mes mules… elles sont dans ma chambre sous le lit… En attendant moi j'ai besoin de farine. Va m'en chercher tout de suite…

– Oui, M'man.

En rapportant les mules à sa mère dans le couloir, il la surprit en train d'enlever ses bas, les jupes relevées à mi-cuisses. Mais elle ne réagit nullement, habituée à considérer « le gosse » comme un petit martien absolument étranger aux impulsions humaines, alors même que la puberté le tracassait chaque nuit, sur ce sofa où elle continuait paisiblement à se dépouiller de cette peau de soie plus troublante que la vraie.

Le boulanger du coin était fermé, et pour ne pas aller chez l'autre presque à Pigalle il dut engager d'humiliantes tractations avec le concierge. Son père le rattrapa dans l'escalier comme il remontait pour la troisième fois ce soir-là.

– Ça roule, fiston ?

– Je suis encore en train de me faire attraper pour une histoire de farine.

– Allons, bon ! J'espère que tu ne vas pas encore faire crier ta mère. Tu sais bien qu'il faut la ménager.

– Qu'est-ce que c'est ? dit Antoine, intrigué par un volumineux paquet que son père portait précieusement.

– Un phare antibrouillard pour la teuf-teuf. Je l'étrennerai au rallye dimanche.

En arrivant sur le palier, Julien Doinel mit le doigt dans la farine et en barbouilla le nez d'Antoine avant d'ouvrir la porte.

– Regarde ton fils. Quel enfariné !

– Je t'assure que je n'ai pas envie de plaisanter.

– Tiens, moi qui croyais justement…

– Rends-moi la monnaie, dit Gilberte à Antoine.

– Mais, il me faut de l'argent pour la cantine.

– Adresse-toi à ton père. Allez !

– Eh ben, les hirondelles volent bas, dis donc, à c' t' heure.

Antoine avait suivi son père dans la salle a manger, et il marmonna :

– P'pa, je voulais te demander…

– Qu'est-ce que tu racontes ?

– Il me faut juste mille francs pour la semaine, dit-il d'un air gêné.

– Si tu demandes mille francs, c'est que tu en espères cinq cents. Donc tu as besoin de trois cents… Tiens, voilà cent balles.

Puis, se ravisant, il lui tendit un billet de cinq cents francs.

– Merci, P'pa.

– Mais en principe, c'est ta mère qui paie ça.

De la cuisine, Gilberte cria :

– Où sont passés les ciseaux ?

Julien répéta la phrase sur l'air de *Où sont passées mes pantoufles ?* tandis qu'Antoine pouffait tout en s'asseyant devant ses affaires de classe. Gilberte rentra dans la salle à manger en tourbillon.

– Y a pas de quoi rire, et puis c'est pas le moment de faire tes devoirs. On va se mettre à table.

– Elle a raison, dit Julien, et prenant l'accent de Jean Richard : « Chaque chose en son temps, chacun à sa place et les vaches, elles seront bien gardées ! »

Antoine venait de glisser un stylo dans son cartable. Julien le lui prit des mains d'un air soupçonneux.

– Qu'est-ce que c'est que ce stylo ?

– Je l'ai échangé.

– Tu fais beaucoup d'échanges en ce moment, hein ?… Qu'est-ce qui se passe ? Tu sens ?

– C'est le poisson, dit Antoine, heureux de cette diversion.

– Ça promet… Hé, va demander à ta mère si le torchon brûle.

– Pourquoi ?

– Pour rigoler.

La fumée s'épaissit dans la pièce, mais c'est la soupe qui arriva, ou plutôt un potage tout fait, plus symbolique que substantiel.

Au dessert, Antoine s'amusait à découper avec minutie une peau de banane en forme d'étoile dans son assiette, quand sa mère le rappela à la réalité :

– S'il te plaît, mon petit, tu peux commencer à débarrasser.

– Ton cousin m'a téléphoné. Sa femme attend encore un môme.

– Le quatrième en trois ans, c'est du lapinisme. Moi je trouve ça répugnant.

Antoine allait et venait de la salle à manger à la cuisine, sans jamais se trouver hors de portée de voix.

– A propos, dit Julien, qu'est-ce qu'on fait du gosse, cette année, pendant les vacances ?

– Les colonies de vacances, c'est pas fait pour les caniches.

– C'est vrai, à cet âge-là, ils s'amusent mieux entre eux.

– Et puis d'ici huit mois on a le temps d'y penser.

– Oh, les vacances, on n'y pense jamais trop tôt.

La table débarrassée en un tournemain, Antoine récupéra son cartable derrière le buffet.

– T'as besoin de la table, P'pa ?

– Oui, faut que je prépare mon itinéraire pour dimanche. T'as encore des devoirs à faire ?

– Non, non... pas pour demain.

– Bon, alors, aide-moi à dérouler la banderole.

Elle était monstrueuse, rouge avec inscrit en grandes lettres noires : « CLUB DES LIONS ». Déployée, elle encombrait tout le couloir, et Julien s'en réjouissait plus que son fils.

– Qu'est-ce que c'est que ce déménagement ? dit Gilberte en passant dessous.

– Ça va les épater dimanche... Dis-moi, qu'est-ce que tu préfères, la vallée de Chevreuse ou les bords de l'Oise, puisque c'est moi qui ai le choix du parcours ?

– Dimanche, je vais me reposer.

– Où ?

– Je vais passer la journée chez mon amie Huguette.

– J'aurai l'air fin, moi, en tant qu'organisateur.

– Oui, mais moi j'en peux plus, tu comprends. Le ménage toute la matinée, et puis l'après-midi...

– L'après-midi les touches.

– Quoi ?

D'un doigt, il simula la frappe d'une dactylo.

– Enfin, celles-là ou les autres !

– Antoine, qu'est-ce que tu attends pour aller te coucher ?

– B'soir, P'pa, M'man, dit Antoine goguenard en refermant la porte de la salle à manger.

– Ce que tu peux être stupide, dit Gilberte entre ses dents.

– Le jour où tu comprendras la plaisanterie...

Dans le réduit formé par le couloir, Antoine commençait à défaire son sac de couchage pour la nuit tout en écoutant distraitement les reproches de sa mère :

– ... Tu perds ton temps avec ces foutaises !

La voix se rapprocha :

– Antoine, n'oublie pas les ordures, et éteins la lumière dès que tu seras couché.

Il alla dans la cuisine chercher la poubelle. La discussion rebondissait :

– … Les rallyes, ça crée des relations. Tu verras quand je serai élu vice-président du premier secteur.

– Tu ne seras jamais vice-président. Ils ont trop besoin de toi comme secrétaire, pour te faire faire tout le boulot. Mais pour les honneurs, tu repasseras !

– Autrement dit : je suis bon à rien. Mais alors pourquoi m'avoir épousé : pour élever ton môme, hein ?

Antoine venait de refermer la porte, sa poubelle à la main. D'un étage à l'autre, une fin de programme, puis *La Marseillaise* l'accompagnèrent dans sa descente. La minuterie le plongea dans le noir juste au moment où il déversait ses ordures dans la poubelle collective. Il ralluma pour faire le plus pénible : détacher les derniers morceaux de journaux poisseux qui adhéraient au fond de la boîte.

3

Le lendemain matin, Gilberte secoua brutalement le sac de couchage. Elle avait la mèche folle, la mine pâteuse et sa voix trancha à vif dans le sommeil d'Antoine :

– Dépêche-toi. Il est huit heures moins le quart. Tu vas encore être en retard.

En retard, l'éternel refrain.

Il s'extirpa du sac comme d'un fourreau pour aller faire un simulacre de toilette. Dans la glace embuée, il retrouva en même temps que son visage le souvenir d'un certain subjonctif qui était sa dette du moment envers le monde des adultes.

– Y a presque plus de chaussettes autour de mes trous, râlait son père.

– Elles sont fichues, celles-là. Achète-z-en d'autres.

– Et l'argent que je t'avais donné pour les draps du gosse ?

– Il aime autant son sac de couchage. Pas vrai, p'tit ?

Antoine approuva, l'esprit ailleurs.

– Comment, t'es encore ici, toi ? gronda Julien.

Antoine saisit un morceau de pain en vitesse, sortit en bondissant sur le sofa au lieu de l'enjamber et dévala les escaliers.

Il traversa en courant la petite place dans l'air aigrelet du matin. Les poubelles prenaient le frais et les commerçants soulevaient leurs rideaux. Très détendu, René l'aborda rue Clauzel.

– Mon vieux, faut pas courir comme ça.

– Mais on va être en retard. La p'tite porte sera fermée. Faudra encore passer chez le dirlo pour la dérouille. Hé suffit !

– T'as fait ta punition ?

– Non.

– P'tite Feuille a dit qu'il te laisserait pas rentrer.

– Tu crois qu'il le ferait ?

– Sûr. Y peut pas te piffer. Et puis on a Bécassine aujourd'hui. Et mon cahier d'anglais est pas à jour. *Have you money ?*

– *Yes, for the cantine.*

– Alors, fais-moi confiance. Par ici la sortie !

René avait mis au point toute une technique de l'école buissonnière. Il montra à Antoine comment déposer leurs cartables derrière le battant d'une porte cochère et, les mains dans les poches, le pied vif, le nez au vent, ils descendirent vers les boulevards. Toutes les fourmis adultes se pressaient vers leur travail, mues par un tropisme quotidien. Mais pour eux commençait une journée hors du temps, sans activités dirigées, sans repas collectif, sans horaire.

Avant l'ouverture du premier cinéma, que guettait déjà tout un groupe de potaches en rupture de ban, ils se laissèrent fasciner par le maniement des *flippers* autour d'un billard électrique. Antoine était maître dans l'art de prolonger une partie dont l'enjeu était le jeu lui-même. Il connaissait intimement tous les appareils du quartier, leurs faiblesses, leurs ruses et leurs vices, et dès qu'une marque nouvelle apparaissait dans un bistro il allait l'explorer comme une terre inconnue.

Puis ce fut la justice sommaire et l'héroïsme violent d'un western aux images pâlies, aux voix caverneuses de saloon, tout un Arizona sonore plus vrai que nature recréé par les spécialistes des studios de Gennevilliers :

« ... Hé, dites donc, shérif, j'connais par cœur t' les articles de vot' code et je sais qu'y a là-dedans d' quoi m' faire balancer au bout d'une corde pour le restant d' mes jours, mais avant ça, faites-moi un p'tit plaisir, allez donc faire un tour du côté d' chez le vieux Healey... »

Les yeux pleins de soleil et d'ombre, ils retrouvèrent les boulevards, puis les lavabos d'une brasserie où ils fauchèrent au passage l'argent de la sébille. Le Pschitt en devint plus léger et le sandwich plus croustillant, qu'ils mangèrent en marchant pour ne pas perdre une minute.

La tour Eiffel les attirait. Par nécessité, puis par jeu, ils demandaient à tous les passants comment s'y rendre, en imitant l'accent paysan. Ils tombèrent sur un provincial qui l'avait pour de bon et qui la cherchait lui aussi. Pour l'épater, ils le firent traverser en arrêtant la circulation par de grands gestes outrés.

Cela les conduisit à l'esplanade des Invalides où il fallut choisir entre plusieurs tentations. Les mangeurs de feu, nègres des savanes léchant leurs barreaux et rugissant de joie à l'approche des braises, impressionnaient

René plus qu'il ne le laissait paraître. Et quand il vit à côté d'eux un spectateur noir en complet veston au regard réprobateur, il entraîna Antoine vers le Rotor.

Ils n'avaient d'argent que pour un tour.

Le sort désigna Antoine. Bientôt, la force centrifuge le plaqua contre la paroi, angélique, cheveux au vent. De la galerie spéciale aménagée pour les amateurs platoniques, René le voyait toutes les cinq secondes en un filage étourdissant. Libéré de la pesanteur, il réussit à se renverser à l'horizontale comme un citoyen de Pompéi figé au mur de sa baignoire. C'était la liberté poussée jusqu'à l'extase...

Au soir tombant, ils regagnèrent la place Clichy. Et soudain, contre la grille du métro, avec cette force d'apparition que donne un grand choc émotif, il aperçut sa mère entre les bras d'un homme, et détourna aussitôt la tête.

De son côté, elle l'avait entrevu par-dessus l'épaule de son compagnon et se libéra de son étreinte.

– Mon Dieu, Antoine. Il m'a sûrement vue.

– C'est lequel des deux ? dit l'homme, embarrassé.

– Le châtain... Je ne comprends pas, il devrait être à l'école en ce moment.

– Tant mieux, comme ça il n'osera rien dire à ton mari.

– Je ferais quand même mieux de rentrer.

– Ne sois pas ridicule.

Antoine filait pour se débarrasser de cette vision. René le suivait à grand-peine :

– Qu'est-ce que tu vas prendre, ce soir !

– Penses-tu ! Elle osera jamais le dire à mon père.

– Comment, le type ?...

– Je l'ai jamais vu.

– Ah ! bon… Eh ben, alors, comme ça tu es sauvé.

Ils retournèrent derrière la porte cochère récupérer leurs cartables. Antoine était devenu silencieux et morose, et René ne trouvait aucun mot de consolation à lui dire. Avant de se quitter, Antoine reprit conscience de leur escapade.

– J' suis bien décidé à rentrer demain. Seulement y faudrait un mot d'excuse. Comment tu vas faire, toi ?

– J'en ai un vieux qui m'a jamais servi. Je couperai la date. J'te le prête jusqu'à demain. T'as qu'à le recopier.

– Mais… l'écriture ?

– Imite celle de ta mère.

– Ça sera difficile, tu sais, elle écrit drôlement pointu.

– T'en fais pas. Ça ira.

– J'espère bien… Salut !

– Salut !

Rentré chez lui, Antoine déplia le mot de son copain sur la table, et s'efforça de le recopier avec soin tout en déformant sa propre écriture : « Monsieur, je vous prie d'excuser mon fils René… »

Il dut recommencer à cause du prénom, et puis une autre fois parce que sa main tremblait trop. Chaque bruit dans l'escalier, chaque grincement de parquet le faisait sursauter. Il finit par brûler tous ses essais, juste avant l'arrivée de son père.

– Bonsoir, P'pa.

– Tiens, ça sent encore le brûlé là-dedans.

– Ça vient d'en dessous.

– Alors, ferme la fenêtre… Tu mettras le couvert pour deux seulement.

– Pourquoi ? Maman est partie ?

– Non... Elle a téléphoné qu'elle rentrerait plus tard ce soir. Son patron la retient pour les bilans de fin d'année. Alors on va se faire la cuisine tous les deux, et on mangera entre hommes... Elle m'a dit qu'il y avait des œufs quelque part.

– Oui, oui, je sais où ils sont.

Julien suivit son fils dans la cuisine et enfila un tablier à fleurs. Antoine se mit à lui passer des œufs que son père cassait au-dessus de l'évier.

– Tu as bien travaillé aujourd'hui ?

– Oui.

– Qu'est-ce que vous avez fait ?

– Le lièvre.

– Ah oui, le lièvre et la tortue.

– Mais non, le lièvre tout seul. On l'a expliqué.

– T'as bien répondu ?

– On m'a pas interrogé.

– Faut demander, mon vieux, faut aller de l'avant, sinon tu seras jamais dans la course. Dans la vie il faut savoir prendre des initiatives... A propos, t'as pensé à l'anniversaire de ta mère ? C'est le 17, tu sais. J'espère que tu vas lui offrir quelque chose. Antoine, tu m'entends ?

Il n'en avait pas l'air.

– Oui, je sais ce que tu penses. Elle a été un peu dure avec toi ces temps-ci... Forcément, elle est très nerveuse, il faut se mettre à sa place. Tenir un intérieur quand on travaille l'après-midi... Surtout qu'ici c'est beaucoup trop petit. Remarque, on... on va déménager, je suis sur une piste. Et puis au bureau, c'est toujours pareil, les femmes on les exploite, elles savent pas se défendre. Mais elle t'aime, tu sais, elle t'aime… oh ! merde…

Il avait cassé un œuf de travers et s'en était mis plein les doigts. Antoine pouffa de rire et Julien lui fit une grimace de clown. Cette complicité dans la farce était ce qui les rapprochait le plus. Gilberte en était toujours exclue, ce qui aggravait sa nervosité.

Mais son absence leur fut tout de même sensible, et le dîner pris dans la cuisine s'acheva dans un morne silence. De temps en temps, un bruit dans l'escalier faisait tendre l'oreille à Julien et, à la dérobée, Antoine s'efforçait de lire sur son visage le degré exact de sa préoccupation.

Le dessert expédié, Julien retourna avec soulagement dans la salle à manger aux murs tapissés de fanions et de photos d'exploits routiers. Il recouvrit la table d'un déploiement de cartes, de petits drapeaux stratégiques et de crayons multicolores, tout en marmonnant de plaisir :

– Ah ! je vais bien les avoir. Au Christ-de-Saclay, y en a pas un qui va s'en tirer…

Quelque chose lui manquait encore, qu'il alla chercher dans un rayonnage, mais en vain :

– Antoine !

– Oui, P'pa.

– Où as-tu mis mon guide Michelin ?

– J'y ai pas touché.

– Antoine, tu sais bien que je ne peux pas supporter le mensonge.

– C'est la vérité, P'pa.

– Je suis sûr de l'avoir remis en place hier.

– Je te jure que c'est pas moi.

– Alors, c'est incompréhensible, les
sent dans cette baraque.

– C'est pas moi.

– Bon, bon, je demanderai à ta mèr
te coucher maintenant… N'oublie pas

Une fois couché, Antoine resta dans
grands ouverts. Des images vertigineuses [illegible]naient dans son esprit avec la vision fixe de sa mère embrassant cet homme contre la grille du métro. Dans la pièce voisine, son père s'agitait. Un rai de lumière surgissait sous la porte, puis le noir revenait. Une fois, il entrouvrit la porte du couloir comme pour venir lui parler. Mais Antoine fit semblant de dormir. Alors un double battement de portes indiqua qu'il s'était replié dans sa chambre.

Antoine ne trouvait pas le sommeil : son monde déjà précaire était devenu encore plus instable. L'arrêt d'une auto dans la rue fixa son attention. Une portière claqua, puis la lourde porte cochère oscillant en fin de course. Des bruits de pas pointus comme les jambages de l'écriture maternelle se rapprochèrent dans l'escalier. Il se mit en boule dans son sac de couchage. Il perçut en même temps l'irruption de lumière du palier et un souffle d'air froid sur son visage.

Gilberte enjamba le divan, referma la porte et ôta ses chaussures. Elle traversa le couloir sur la pointe des pieds, et isola de nouveau Antoine. Malgré la double séparation, il perçut bientôt les éclats d'une dispute :

– … Patron, patron…

– Parfaitement, je ne peux tout de même pas refuser qu'il me ramène à la maison.

– Le tarif de nuit, ça compte double.

ras bien content à la fin du mois.
genre d'heures supplémentaires, ça se paie comp-

– Oh ! ça suffit.

– Je comprends que dimanche Madame ait besoin de repos… A propos où as-tu mis mon guide Michelin ?

– Est-ce que je sais ? Il fallait demander au gosse.

– Il dit qu'il n'y a pas touché.

– Il ment comme il respire.

– Il a de qui tenir.

– Si tu l'élevais mieux…

– Ah, mince alors. Je lui ai donné un nom, je le nourris…

– J'en ai assez de ces reproches, assez ! Si tu ne peux pas le supporter, dis-le. On va le mettre chez les Jésuites ou chez les enfants de troupe, que j'aie enfin droit à un peu de calme !

Dans son enveloppe de duvet, Antoine se fit encore plus petit.

4

A huit heures moins le quart, posté dans la vespasienne de la place Toudouze comme derrière une meurtrière, Mauricet guettait le départ d'Antoine pour l'école. Dès qu'il le vit disparaître dans la rue Clauzel, il sortit de sa cachette.

Chez les Doinel, de basses contingences laissaient mal augurer ce jour nouveau.

– … Dans ces conditions, y a qu'à aller manger au restaurant jusqu'à la fin du mois, disait Gilberte en se frisant les cils devant son miroir.

– Pour ça, il faudrait que j'aie une chemise propre à me mettre. Mais bon sang, si t'as pas le temps de laver la chemise, lave au moins le col. C'est vrai ça, c'est incroyable…

– Si tu n'avais pas acheté ce phare antibrouillard pour épater la galerie.

– Je l'ai acheté d'occasion, hé !

On sonna. Julien laissa tomber la chemise qu'il brandissait et Gilberte se leva de sa coiffeuse. Il fallait faire face au danger. Elle chuchota :

– Eh ben, va ouvrir.

– Si c'était le gaz ?

– Ça se saurait. Ils préviennent la veille.

Julien alla donc ouvrir. Mauricet rabattit le capuchon de son duffle-coat comme un garçon bien élevé qui se découvre pour se présenter :

– Bonjour, M'sieur. J 'suis l' camarade de classe d'Antoine. J' viens voir si y va mieux.

– Mieux ? Pourquoi ?

– Parce qu'il a manqué hier toute la journée.

– Tu entends ça ? dit Julien à sa femme.

Et machinalement, il mit la main dans sa poche. Mauricet se méprit sur son geste et un instant il eut l'espoir d'une récompense. Mais la main ressortit vide et Julien lui dit assez sèchement :

– Merci, p'tit !

Puis, se retournant vers Gilberte :

– Ça n'a pas l'air de t'étonner.

Elle avait une bonne raison de ne pas l'être, mais elle se ressaisit vivement :

– Pourquoi est-ce que ça m'étonnerait ? Je m'attends à tout de sa part.

– Faut quand même tirer ça au clair.

Rue des Martyrs, Antoine retrouva René et lui tendit le mot d'excuse :

– Tiens, j'ai pas pu.

– Ce que tu peux être cloche !

L'assurance tranquille de René en de pareilles circonstances était insupportable. Très conscient de son physique de petit lord Fauntleroy, il jouait au flegme britannique. En réaction, Antoine devenait gavroche et agressif :

– J'me suis énervé, ça arrive. Et pis mon père est juste rentré…

A grandes enjambées déhanchées, Antoine exprimait sa mauvaise humeur. Alors, jouant une autre parodie, celle de l'écolier pédant, René, qui était légèrement distancé, l'interpella :

– Arrête ici tes pas, chevalier !

Puis d'un ton naturel :

– J'ai besoin de changer la date.

– T'es emmerdant ce matin.

René s'arrêta devant le rebord d'une fenêtre et, soigneusement, en prenant tout son temps, il replia avec son ongle le haut de la lettre pour le découper.

– Je me demande ce que je vais pouvoir trouver comme excuse…

René gardait ce petit ton de supériorité qui avait le don d'irriter Antoine tout en l'impressionnant :

– Ça, mon vieux, faut trouver quelque chose d'énorme. Plus c'est gros plus ça passe. L'année dernière, quand ma mère s'est cassé la guibolle, j' suis rentré aussi sec à l'école, j'ai tout raconté, sauf qu'elle était bourrée. Y a pas eu besoin de mot.

– J'peux pas dire un truc comme ça, mon vieux, écoute.

– Ça non. En tout cas faut pas oublier une chose : faut pas qu'on arrive ensemble.

– Oui, d'accord, mais pars le premier. Salut !

– A tout à l'heure !

Tandis qu'ils se séparaient, sur l'autre trottoir Mauricet sautillait avec allégresse, sa capuche de faux frère enfoncée jusqu'aux yeux.

Entré dans la cour de l'école, Antoine essaya d'éviter P'tite Feuille en le croisant de dos. Mais l'un des pouvoirs diaboliques de ce maître tenait justement en une manière de sixième sens dorsal qui lui donnait un champ de perception aussi large que celui des araignées. Se retournant brusquement, il agrippa Antoine au passage :

– Ah ! te voilà, toi. Suffit d'un devoir supplémentaire pour te rendre malade. Et les parents tombent dans le panneau. Je suis bien curieux de savoir ce que tu as pu leur soutirer comme excuse. Fais voir ton mot.

– J'en ai pas, M'sieur.

– Oh ! mais mon garçon, ça ne va pas se passer comme ça. Ce serait trop facile.

– Mais, M'sieur…

– Quoi, M'sieur ?

– Je voulais vous dire… ma mère…

– Qu'est-ce qu'elle a ta mère ?

Ne voyant pas d'autre issue, Antoine se jeta à l'eau :

– Elle est morte.

P'tite Feuille prit aussitôt un ton de circonstance :

– Fichtre ! Excuse-moi, mon petit… je ne pouvais pas savoir… Elle était malade ?

Antoine fit oui de la tête.

– Il fallait m'en parler. Il faut toujours se confier à ses maîtres.

La sonnerie mit un terme à cette situation gênante de part et d'autre. P'tite Feuille tapota affectueusement la tête d'Antoine et, le directeur venant à passer, il s'approcha de lui en confidence :

– Monsieur le directeur…

– Qu'est-ce qui ne va pas, mon cher collègue ?

– J'apprends à l'instant que le jeune Doinel vient de perdre sa maman.

– Pauvre petit gars… Vous la connaissiez ?

– Je n'avais pas l'avantage.

– Vous ne croyez pas si bien dire. Je me souviens parfaitement d'elle. Un joli brin de femme… et dans la fleur de l'âge…

Simonot s'était rapproché, tendant l'oreille.

– Qu'est-ce que vous fichez ici, vous ? Pas entendu la sonnerie, non ?

Sur les rangs, Antoine n'en menait pas large. Intrigué par sa mine, René lui demanda :

– Qu'est-ce que t'as trouvé comme excuse ?

– Fous-moi la paix.

On n'était pas encore débarrassé du « lièvre ». Il ne suffit pas de copier une récitation dans un doux farniente. Encore faut-il deux ou trois jours plus tard payer ce plaisir dont on vous faisait l'avance. Interrogé par P'tite Feuille, le jeune Acquaviva au visage de chérubin remboursait parcimonieusement, pied à pied :

– … Mieux vaut l'épine au bois… l'épine au bois…

On chuchota derrière :

– L'épine où je pense.

P'tite Feuille n'avait pas compris :

– Si vous vous laviez mieux les oreilles, Acquaviva, vous entendriez peut-être ce qu'on vous souffle par-derrière.

L'autre insista imperceptiblement :

– L'épine au cul.

Acquaviva ne put réprimer un sourire :

– Y'me souffle pas, M'sieur, il cherche à me faire tromper.

– Ça suffit, continuez.
– Je sais plus où j'en suis, M'sieur.
Le professeur martela :
– Que les fleurs dans la crèche…
– Que les fleurs dans la crèche…
– Mieux vaut l'indépendance… l'indépendance…
Silence accablant dans la classe. Abou explorait ses narines. René soupirait. Antoine restait pétrifié par l'énormité de son mensonge et le voisin d'Acquaviva avait un visage de gargouille animé soudain par des tics.
P'tite Feuille revint à la charge :
– Et l'incessant péril…
– Que l'esclavage…
– Avec un éternel avril… Vous êtes un éternel cossard, Acquaviva, asseyez-vous : deux !
Acquaviva s'assit en protestant :
– Parole, M'sieur, je la savais à la maison.
P'tite Feuille remit ses lunettes et consultant machinalement sa liste :
– Doinel !
Antoine se leva.
– Oh ! pardon, excuse-moi, mon petit.
Toute la classe en fut intriguée.
– Simonot !
Simonot se leva et annonça posément :
– Le lièvre.
C'était autant de gagné.
Mais la classe sensible au moindre souffle, au moindre écart de la monotonie quotidienne sentit soudain que quelque chose se passait dans le fond.

En se levant, P'tite Feuille murmura avec déférence, presque pour lui-même :
– Monsieur le directeur...
Tandis qu'il traversait la classe, Simonot poursuivit impassiblement :
– ... de Jean Richepin.
Et ce nom sembla pour Antoine avant-coureur de catastrophe.
La porte vitrée de la classe était opaque jusqu'à hauteur d'épaules, en sorte que les têtes seules se déplaçaient au-dessus. Les élèves ayant tous pivoté sur place découvrirent celle du directeur, rejointe bientôt par celle de P'tite Feuille, qui avait refermé la porte. Antoine n'osait pas regarder. Quand il s'y résolut, il vit le doigt du professeur lui intimer de les rejoindre.
Comme il se levait, il reconnut en arrière-plan les visages de ses parents ; il alla donc vers la porte comme on monte à l'échafaud dans ce silence solennel dont une classe cohérente a le sens intuitif autant qu'un auditoire de tragédie.
Dès que la porte s'ouvrit, Julien avança d'un pas et, avec une promptitude inhabituelle, il lui assena une paire de claques qui lui ébranlèrent le crâne. Sans broncher, il retourna à sa place, la tête bourdonnante, entendant vaguement P'tite Feuille renchérir :
– ... J'estime que la sanction devra être à la mesure...
Et la voix irréelle du directeur :
– Mais la mesure est dépassée, mon cher. Nous sommes dépassés par l'anomalie d'une telle faute. Seuls, les parents ont pouvoir de sévir.
Et Julien pour conclure :
– On s'expliquera ce soir à la maison.

5

Ce soir-là, sur Paris, brume et mort dans l'âme. Le neuvième, si familier, devenait pour les deux copains un lieu hostile et inquiétant, plein d'escaliers ne menant nulle part. René lui-même en était affecté. Il n'osait plus parler qu'à mi-voix, comme par crainte des ombres.

– Qu'est-ce que tu vas faire ?

– De toute façon, après c' coup-là, je peux plus vivre avec mes parents. Il faut que j'disparaisse, tu comprends.

– Oh, les miens ils en ont vu d'autres.

– Oui, mais y en a marre. Faut qu' je vive ma vie. J' leur écrirai une lettre pour leur expliquer.

– Tout de suite ?

– Oui, ça vaut mieux.

– Mais où est-ce que tu vas coucher ce soir ?

– J'en sais rien.

– J'ai peut-être une idée. Rendez-vous dans une heure devant le jet d'eau de la place Pigalle.

– Oui, d'accord.

Et ils échangèrent leurs : « Salut ! – Salut ! » habituels, mais avec un petit serrement de gorge, Antoine levant légèrement deux doigts comme pour confirmer un pacte secret. S'éloignant seul sur la chaussée, il esquissa à peine le jeu qui consiste à éviter un clou sur deux. Il se sentait vraiment *desesperado*.

L'impression se confirma place Pigalle lorsque René vint lui apporter un paquet de dattes et un gros chandail blanc à col roulé, avant de le conduire silencieusement vers un lieu assez lointain et dont il faisait grand mystère.

C'était rue du Croissant, une imprimerie en partie désaffectée, qui appartenait à son oncle. Sous le poids des machines le plancher pourri s'était effondré, créant un gouffre béant dont l'obscurité et le fouillis effrayaient Antoine comme une caverne des mille et un dangers. Il fallait y descendre par une petite échelle.

– Ici au moins personne viendra te chercher.

– Tu crois pas que ça pourrait s'écrouler encore ?

– Ça peut pas tomber plus bas, et puis tu vois bien qu'on a enlevé les machines... T'auras pas froid ici.

– Antoine enfila le chandail avec l'appréhension d'un apprenti spéléologue tandis que René déplaçait un énorme rouleau de papier.

– Ça, c'est pour faire un oreiller... Oh ! la vache, c'est lourd... Et pis, ça, ça te servira de matelas, dit-il en soulevant un ballot de vieux papiers. Les ouvriers arrivent pas avant quatre, cinq heures du matin.

– Sois chic, va, garde mon cartable, tu me le rendras demain.

René prit le cartable et remonta bientôt la petite échelle.

Antoine le vit disparaître au-dessus, derrière les rotatives. Il s'allongea sur le ballot, fixa le plafond noir aux poutres enchevêtrées et se recroquevilla un peu. Après l'épuisement nerveux de la journée, le sommeil l'emportait sur le malaise du décor.

Dans leur chambre, Julien et Gilberte s'affrontaient sans trop de conviction, plus penauds que choqués par la fugue du « gosse ».

– Fais voir que je lise ce petit chef-d'œuvre.

Gilberte lui tendit la feuille de papier quadrillé.

« Mes chers parents,

« Je comprend (sans *s*) la gravité de mon mensonge... »

– Tu parles ! dit Gilberte. Mais enfin, pourquoi est-ce moi qu'il a fait mourir plutôt que toi ?

– Question de préférence, c'est clair.

Il reprit la lecture de la lettre :

« Après cela, la vie entre nous n'est plus possible. Aussi je vais tenter ma chance tout seul, dans la capitale ou ailleurs. Je suis peut-être insupportable, mais je veux prouver que je peux devenir un homme. Alors je vous reverrai et nous nous expliquerons *sur tout*. Je vous quitte et je vous embrasse.

« ANTOINE. »

– Alors, tu trouves normal qu'il me déteste ?

– Tu es de plus en plus dure avec lui.

– Je suis surmenée. Alors il me tape sur les nerfs.

– Il a besoin de se dépenser, forcément.

– L'appartement ne s'y prête pas, dit Gilberte avec amertume.

– Tu sais très bien que je m'en occupe et plus activement que tu le crois.

– Tu es sur une piste, j' connais la chanson.

– De toute façon, pour le temps que tu passes à la maison.

– Si ta situation me le permettait, j'y resterais à la maison. Mais au lieu de chercher mieux, tu préfères perdre ton temps dans ce club à la gomme... Et puis, tu remets, tu remets... C'est comme pour les végétations du gosse...

– Les végétations, c'est une grave erreur scientifique de les couper. On commence à s'en apercevoir.

Elle eut un sourire méprisant. Alors il essaya de se fâcher :

– Oh ! et puis ça va, hein. Toujours à me débiner. Le gosse, il commence à comprendre.

– Il t'a dit quelque chose ?

– Non, mais il a souligné *sur tout.* « Nous nous expliquerons *sur tout.* »

– Ah ! tu le connais bien, tiens. Il a la manie de souligner à tort et à travers. Dans ses cahiers, dans ses lettres, partout...

Elle se leva du lit et alla dans la salle à manger ouvrir un tiroir du buffet. Elle en revint, une lettre à la main :

– Tiens, regarde un peu. Quand il était en vacances chez ta sœur... « Envoie-moi encore 200 francs puis CE SERA TOUT. » Souligné deux fois. Qu'est-ce que ça prouve ?

– Qu'il manquait de tout chez ma sœur, c'est ce que tu veux dire ?

– Quand tu ne veux pas comprendre !

– En tout cas, ma sœur, elle voulait qu'il fasse sa première communion.

– Je vois pas pourquoi je discute avec toi, tiens.

Il se déshabilla en silence tandis qu'elle se couchait, et puis, au moment de la rejoindre :

– S'il est pas rentré demain matin, qu'est-ce qu'on fait ?

– Y a un post-scriptum.

– Où ça ?

– Derrière.

Il reprit la feuille de papier, la retourna et lut avec stupéfaction :

– « P.-S. Cependant, je m'engage à poursuivre mes études. »

Des éclats de voix indistincts tirèrent Antoine du sommeil profond où il avait sombré quelques heures plus tôt. En ouvrant les yeux, il eut d'abord une impression de terreur. Mais les voix ne le concernaient pas :

– ... Salut, Mimile.

– Salut, Papa.

– Fait froid, c' matin.

– Ça pique, dis donc.

– La gamelle, l'est g'1ée...

Il fallait quand même déguerpir. A sa grande surprise, il passa inaperçu dans l'agitation générale qui préludait à la mise en marche des machines.

Dehors, il faisait encore nuit. Il remonta aussi haut que possible le col de son chandail polaire et, traversant le boulevard Montmartre désert, il se dirigea instinctivement vers son quartier.

Du côté des Folies-Bergère, il passa devant un café ouvert toute la nuit, oasis de néon dans le noir. A la poursuite d'un petit chien craintif, une jeune femme en manteau de fourrure en sortit.

– Tu veux m'aider à l'attraper ?

Subjugué par son élégance et surtout par son parfum, il répondit avec empressement :

– Oui, bien sûr, M'dame.

– Il est si petit.

Le chien tourna à droite, et Antoine faillit déraper tant il mettait de zèle à sa poursuite. Un homme assez jeune, moustachu, sembla sortir de la nuit pour lui demander :

– Hé, p'tit, c'est ta sœur ?

– Non, je l'ai jamais vue. Elle m'a demandé de courir après son chien.

– Il est perdu ou bien il est à elle ?

– Je sais pas, moi.

L'homme se mit à siffler. La jeune femme se retourna.

– On peut vous aider ?

– Mais bien sûr, plus on sera nombreux, plus on aura des chances de l'attraper.

– Il s'appelle comment ?

– Mais j'en sais rien, moi.

Antoine s'efforçait de se maintenir à la hauteur du nouveau poursuivant qu'il considérait comme un intrus. L'homme s'arrêta soudain en le retenant par le bras :

– Laisse tomber, p'tit !

– Mais c'est moi qui l'ai vu le premier. Moi j'cours après lui.

L'homme le prit par le col et lui dit d'un air menaçant :

– T'as compris, oui ?

Et il s'éloigna vers la jeune femme en sifflant avec arrogance. Jour et nuit, c'était pareil. Les hommes avaient tous les droits, tous les pouvoirs. Et les enfants qui avaient le malheur de se croire déjà des hommes étaient sans cesse rappelés à la réalité de leur condition transitoire.

Un peu plus tard, la faim le prit. Il lui restait un peu d'argent, mais il ne tenait pas à le dépenser en prévision de temps plus difficiles. De toute façon, un hors-la-loi se devait de vivre dangereusement.

Comme il passait rue Taitbout, un camion de laitier s'arrêta devant une crémerie fermée. Le livreur en descendit et déposa contre le rideau de fer deux caisses de lait pasteurisé. Le camion parti, Antoine passa devant les caisses et brusquement il en retourna une, puis continua son chemin, mine de rien. Il revint ensuite sur ses pas, saisit une bouteille au passage, la fourra vivement sous son chandail et à pas précipités, mais en se forçant à ne pas courir pour ne pas éveiller l'attention d'observateurs éventuels, il gagna la ruelle adjacente la plus obscure.

Des lambeaux d'affiches décolorés s'effilochaient du mur contre lequel il s'appuya pour ressortir sa bouteille. Un coup d'œil à droite et à gauche, et il creva la capsule avant de boire goulûment, si vite qu'il s'en étouffait, le lait lui dégoulinant de la bouche sur le chandail...

Des pas se rapprochant, il se dissimula derrière une porte cochère. Le lait froid lui gargouillait dans l'estomac et il en restait encore une bonne demi-bouteille. Avec un litre de lait, un homme normalement constitué a des calories pour toute une journée.

Sorti de sa cachette, il marcha un peu pour faire passer, et arrivé près d'une bouche d'égout, il s'accroupit, lampa tout ce qu'il put d'un seul trait, puis jeta la bouteille dans le gouffre en écoutant attentivement les échos successifs de sa chute fracassante.

Un soupçon de jour sale commençait à poindre lorsqu'il déboucha rue Blanche, face à la Trinité. Il entra dans le square au gazon hérissé de gelée blanche, escalada le rebord du bassin vide et se hissa jusqu'à la troisième vasque de la fontaine. D'un coup de poing il brisa la pellicule de glace et, trempant deux doigts dans l'eau froide, il les passa vivement autour de son museau, pour une toilette de principe. Il avait ainsi le sentiment de se remettre un peu en règle avec la société.

Comme Gilberte l'avait prévu, son intention était de s'y réintégrer tout à fait en rentrant normalement en classe. Il était encore trop jeune pour rompre à la fois les deux attaches familiale et scolaire.

La dernière heure de liberté fut la plus longue à passer. A tout hasard, il grimpa les marches latérales accédant au porche de l'église. Mais les grandes portes étaient fermées et, courbé tout contre, un loqueteux avait l'air de regarder la messe par le trou de la serrure. Si les vagabonds n'osaient pas entrer, c'est qu'ils avaient leurs raisons.

Il redescendait de l'autre côté du porche quand une quatre-chevaux pie de la police aborda la rue de Clichy. Il se masqua aussitôt derrière un pilier.

Malgré son pantalon fripé, il entra en crânant dans la cour de l'école, où quelques fanatiques jouaient déjà à la mourre. P'tite Feuille était en conversation avec le directeur. Il s'interrompit pour dire à Antoine :

– Ça a dû barder, hier soir, chez vous, hein ?

– Pas du tout, ça s'est très bien passé.

P'tite Feuille prit le directeur à témoin :

– Les parents nous les pourrissent !

Et le directeur approuva. Cet homme chauve et souriant approuvait le plus souvent possible pour arrondir les angles, éviter les heurts et éluder les difficultés qui accablaient ses malheureux subordonnés. Il essayait de faire passer dans ses rapports avec eux un idéal lointain de vie mondaine.

Le prof' d'anglais s'y prêtait parfois, mais les élèves, qui l'avaient surnommé Bécassine à cause d'un zozotement intermittent, le rappelaient vite à des tâches plus ingrates. Ce matin-là, René Bigey, interrogé face à un tableau de vocabulaire représentant la famille au coin du feu, se montrait particulièrement buté.

– Dernière question, encore plus simple, dit Bécassine en désespoir de cause... *Where is the father ?*

– *Ze fazeur...*, attaqua René avec cet accent désespérant des sujets tardifs que les manuels spécialisés appellent « grands commençants ».

Bécassine rectifia avec lassitude :

– Non, pas *fazeur*, mais *fa-ther* !

René répéta obstinément :

– *Fâ-zeur !*

– Non !... La pointe de la langue, comme si vous zozotiez. *Fa-ther !*

– *Fâ-zeur !*

– Non !

– M'sieur, j' peux pas. C'est pas tout le monde qui peut mettre la langue comme vous dites.

Bécassine s'énerva et dit en bredouillant :

– Taisez-vous, asseyez-bous, vous êtes un insolent.

Puis retrouvant avec effort le contrôle de lui-même, il réussit à sourire :

– Abou !

Abou se leva et sourit en retour, comme le chanteur célèbre qu'il passait son temps à imiter.

– Abou... *Where is the girl ?*

Abou, qui tenait son anglais de quelques vieux disques de Louis Armstrong, répondit avec un accent New Orleans très personnel :

– *The gueu-eul is on the bitch.*

– *Beach, î* long, rectifia le professeur tout en apercevant au fond, au-dessus de la vitre dépolie, le concierge qui lui faisait signe de venir.

Il traversa la classe en répétant *beach* plusieurs fois pour éviter tout temps mort. Le directeur le priait de venir à son bureau en compagnie de Doinel.

– Abou, asseyez-bous, assevez-you, bafouilla-t-il soudain.

Et puis, à voix très claire :

– Collombel, je vous nomme responsable jusqu'à mon retour.

– Nous ne savons vraiment plus comment nous y prendre, disait Gilberte au directeur en minaudant un peu.

– Ah ! chère petite Madame, vous méritiez mieux qu'un gaillard pareil !

Comme le gaillard faisait une entrée discrète, suivi de Bécassine, elle se retourna et se précipita pour l'embrasser passionnément :

– Antoine, mon chéri, dans quel état tu t'es mis, il ne t'est rien arrivé au moins, où as-tu dormi, mon chéri ?

– Dans une imprimerie.

– Dans une imprimerie !

Et elle ajouta à la cantonade :

– Pourvu qu'il n'ait pas attrapé froid !

Le directeur, qui avait pourtant une grande expérience des errements humains, en restait médusé.

– Je vais te ramener tout de suite à la maison... je me demande ce qu'ils ont à cet âge, dit-elle en manière d'excuse.

Le prof' d'anglais, qui se sentait exclu, intervint timidement :

– C'est peut-être une question de glandes.

A la maison, Gilberte l'obligea à se baigner dans le tub et tint à l'essuyer elle-même avec sa sortie-de-bain :

– Il ne faut pas que tu prennes froid.

Elle le bichonnait, l'embrassait à sa plus grande gêne, car il était conscient de la féminité de sa mère alors qu'elle le traitait comme un petit animal.

– Maintenant au lit.

– J'ai pas sommeil.

Mais elle l'entraîna d'autorité dans le couloir et comme il esquissait le mouvement de s'asseoir sur son sofa :

– Non, non, dans le nôtre tu seras mieux.

Cet excès de « soins, de tendresse » acheva de le

« Doinel, apportez-moi ce que vous avez là. »

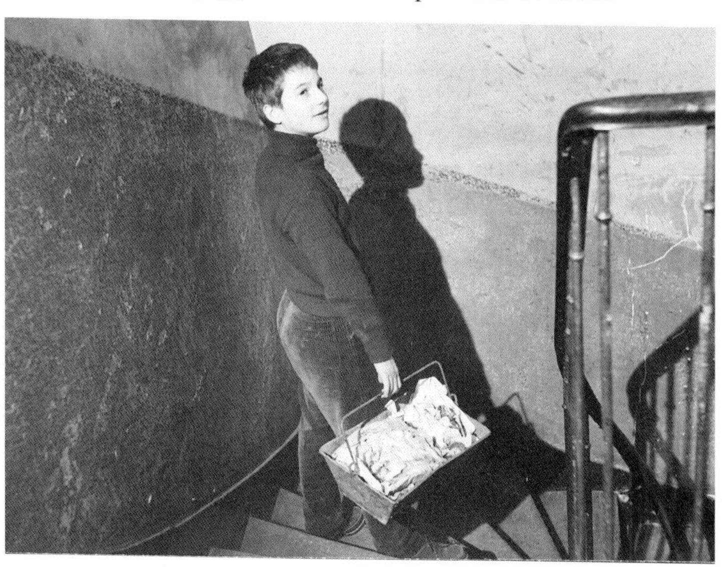

« Antoine, n'oublie pas les ordures... »

Sur les rangs, Antoine n'en menait pas large.

Le camion parti, Antoine passa devant les caisses.

« Tu veux mon briquet, dis, tu veux mon briquet ? »

« Alors, tu nous emmènes au Gaumont ? »

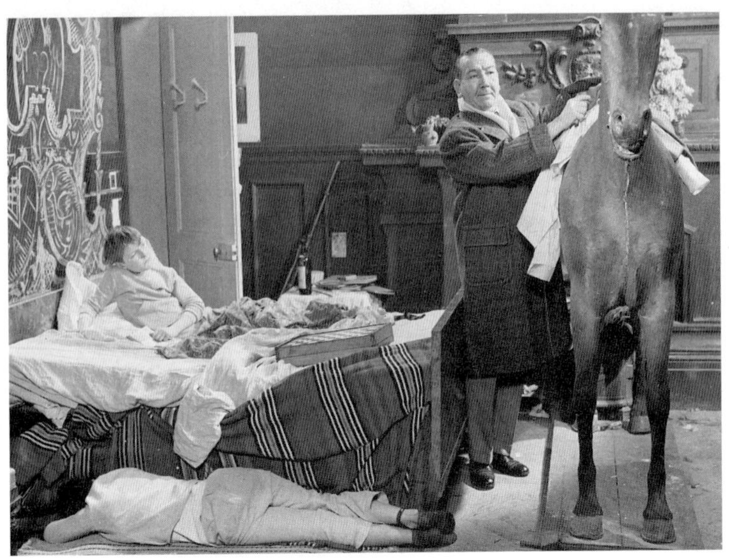

La « java » battait son plein.

Ainsi commençait une période de vie clandestine…

Antoine et René se livraient à des expériences balistiques.

Ils arrachèrent en partant la photo de la vedette.

Comme prévu, le bureau était ouvert.

« Oh ! mais dis donc, tu es bien le fils Doinel, toi. »

Il fut mis dans la souricière.

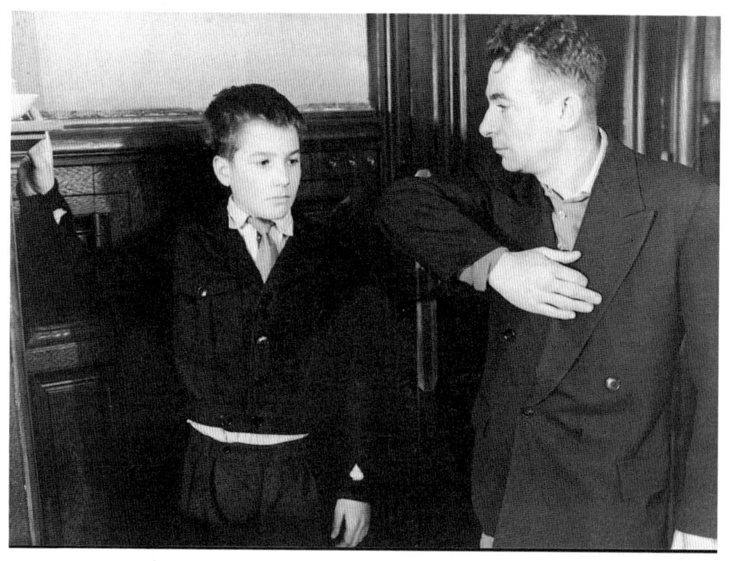

« J'aime pas les petits malins de ton espèce. »

Il courait, il courait, droit devant lui…

rendre soupçonneux, et comme elle le fourrait dans le lit conjugal, il l'observait à la dérobée tandis qu'elle parlait :

– Tu sais, j'ai eu ton âge, moi aussi, vous oubliez toujours ça, les gosses, moi aussi j'étais butée, je ne voulais pas me confier à mes parents, j'ai préféré tout écrire dans un journal, personne ne l'a jamais lu, un jour je te le montrerai, hein ?... juste à ton âge, j'étais en vacances, je suis partie avec un jeune berger, c'était une amourette, on nous a vite rattrapés, ma mère m'a fait promettre de ne plus jamais le revoir, et elle n'a rien dit à mon père, alors j'ai beaucoup pleuré, mais j'ai obéi parce qu'il faut toujours obéir à sa mère... On peut avoir des petits secrets tous les deux, hein ? Dis, qu'est-ce que tu as voulu dire dans ta lettre, quand tu as écrit : on s'expliquera sur tout ?

Il hésita une seconde avant de répondre :

– Ben, à cause de ma mauvaise conduite, et puis pourquoi je travaillais mal en classe...

– Eh bien ! dis-le-moi ?

– Parce que j'arrive pas à écouter, et puis je voudrais quitter l'école, gagner ma vie tout seul.

– Mais enfin c'est de la folie. Si tu savais comme je regrette, moi, de ne pas avoir été au-delà du bachot, et ton père qui n'a pas son brevet, hein ? C'est que ça le gêne dans sa carrière !...

« J' sais très bien qu'à l'école on apprend des tas de choses inutiles, l'algèbre, la science, ça sert à peu de gens dans la vie, mais le français, hein ? le français, on a toujours des lettres à écrire...

« On va avoir un autre secret tous les deux... tu veux,

hein ? Voilà, si à la prochaine composition française tu es dans les, voyons, dans les cinq premiers, je te donne mille francs, hein ? Mais tu ne diras rien à ton père ?

Une heure plus tard, les yeux grand ouverts, il comptait encore les fleurs du rideau.

6

A l'école, la situation générale empirait. A force de répéter à la même classe qu'elle était la plus mauvaise de toutes les annales du cours complémentaire, les professeurs avaient réussi à l'en convaincre collectivement, et même les sujets réputés « sains » par leurs précédents maîtres tenaient à honorer ce renom prestigieux. Antoine, bien sûr, était repéré et, malgré tous ses efforts pour rester dans l'anonymat, il n'évitait pas toujours les foudres qui tombaient du haut de l'estrade.

Ce fut vers cette époque que Bertrand Mauricet reçut officiellement le titre de « Roi des cafteurs », en même temps que sa bassesse était cruellement châtiée. Chacun connaissait sa faiblesse. Dans le silence d'une interrogation écrite, on lui déroba donc ses lunettes sous-marines, et sadiquement, méthodiquement, d'une table à l'autre les verres en furent détachés, puis pilés, le caoutchouc découpé en lanières, et le tout aspergé d'encre, puis fourré dans un chiffon soigneusement noué qui lui revint en fin de circuit.

Le cours de chant servait d'exutoire aux instincts les plus guerriers de la classe. Le professeur – un moustachu rêveur et rondouillard – y prêta vers la mi-décembre en choisissant un hymne martial à plusieurs voix dont le refrain disait à peu près :

Et les Gaulois, les Gaulois
D'une voix sono-ôre
Chantent un hymne à la liberté !

Un jour, les jeunes Gaulois l'encerclèrent progressivement et de façon si hostile qu'il ne dut son salut qu'à sa baguette de chef.

Quant à la gymnastique du samedi, elle fut compromise dans son principe. De l'école au stade, le moniteur allait toujours de l'avant pour stimuler ses troupes. Quelques traînards s'arrangeaient discrètement pour disparaître au détour d'une rue ou derrière une porte cochère. Mais l'exemple devenant contagieux, il advint qu'en un seul trajet la classe se réduisit à trois malheureux qui n'avaient rien de mieux à faire. L'événement fit scandale et désormais, sur le modèle de l'armée, des chefs de groupes furent nommés responsables d'une partie de l'effectif, tandis que le moniteur fermait la marche.

Malgré cette ambiance peu propice à l'effort, Antoine n'oubliait pas la promesse qu'il avait faite à sa mère. Les mobiles de ce pacte secret étaient certes ambigus, mais les mille francs bien alléchants. En même temps, un appétit de lectures nouvelles le prenait. Pour meubler son esprit, il décida de renoncer aux innombrables romans policiers dont sa mère elle-même faisait ses friandises.

Héritage poussiéreux d'un vieil oncle de province, les œuvres complètes de Balzac se pressaient sur une étagère. Mais par quel volume commencer ? Un après-midi de solitude, il opta pour *La Recherche de l'Absolu*, qu'il lut d'un trait, sur son sofa, en fumant presque un paquet de cigarettes. La dernière page le laissa ébloui, et il ne put s'empêcher de la relire :

« Tout à coup, le moribond se dressa sur ses deux poings, jeta sur ses enfants effrayés un regard qui les atteignit tous deux comme un éclair, les cheveux qui lui garnissaient la nuque remuèrent, ses rides tressaillirent, son visage s'anima d'un esprit de feu, un souffle passa sur cette face et la rendit sublime, il leva une main crispée par la rage et cria d'une voix éclatante le fameux mot d'Archimède : *Eurêka* (j'ai trouvé). »

Il se leva dans cette exaltation que la treizième année peut connaître pour les motifs les plus variés, et que la moyenne des adultes oublie si complètement qu'elle lui est aussi étrangère que l'état de transe d'un Indien Jivaro, tant il est vrai, hélas ! que nous sentons de moins en moins vivement.

Pour marquer ce moment sublime, il fouilla dans son cartable et, ouvrant le manuel de français, il y découpa la photo de Balzac. Et il la fixa par des punaises dans une espèce de casier masqué par un petit rideau, qui lui servait de cache personnelle au-dessus du divan.

Le surlendemain, P'tite Feuille écrivait au tableau :

Composition trimestrielle de français :

Décrivez un événement grave dont vous avez été le témoin ou qui vous a PERSONNELLEMENT *concerné.*

Tous les élèves manifestaient les signes d'embarras coutumiers. Antoine semblait aussi déconcerté que les autres. Quand, soudain, *eurêka !* Saint Honoré de Balzac vint à sa rescousse. Et fiévreusement, il se mit à écrire : « La mort de mon grand-père… »

Rentré chez lui, il alluma en hommage une bougie qu'il plaça devant le portrait du grand homme, dans sa petite niche personnelle.

Une heure plus tard, pendant le dîner, il écoutait distraitement son père, quand la conversation s'orienta vers un sujet plus piquant :

– Ça y est, le singe s'envoie la nouvelle dactylo ; elle a de la défense, la petite, elle en a profité pour se faire bombarder secrétaire de Direction ; elle a pour ça toutes les aptitudes requises, dit-il en évoquant du geste une poitrine abondante.

« Maintenant, il va falloir se méfier d'elle, because confidences sur l'oreiller. Quand elle faisait la province, je lui avais expliqué comment ratiboiser sur les notes de frais, mais j' t'en fous : elle descendait que dans des hôtels à trois étoiles.

« A propos, dites, ça me fait penser que j'ai pas retrouvé mon guide Michelin, moi, et forcément y en a un de vous deux qui a mis la main dessus ?

– Oh ! tu commences à nous courir avec ton Michelin, tu sais !

– J'aime pas les mystères, moi.

Une odeur de brûlé lui fit froncer les narines :

– Tiens, t'as encore laissé quelque chose sur le feu.

– Moi, non. Ça j'en suis sûre.

Antoine bondit de sa chaise et fila vers le couloir.

– Qu'est-ce qu'il lui prend ?

Ils se levèrent à leur tour pour découvrir dans le couloir des flammes qui, à partir du petit rideau de la niche, menaçaient les étagères supérieures.

– Ça, c'est le bouquet ! hurla Julien en trépignant.

– Au lieu de crier, va chercher de l'eau.

Julien arracha une couverture du divan.

– Mais non, tu vas la brûler. Va chercher de l'eau, je te dis.

Antoine en ramenait une bassine qu'il versa à demi sur son père.

– Bougre d'âne. Ça suffit comme ça.

Gilberte projeta ce qu'il restait d'eau sur le foyer que Julien acheva d'éteindre avec la couverture. Puis il se retourna brusquement vers Antoine :

– Mais qu'est-ce qui t'a pris, bon sang, qu'est-ce qui t'a pris, quelle idée d'allumer une bougie là-dedans ?

– C'était... pour Balzac, P'pa.

– Balzac, Balzac, non mais des fois, tu m'as bien regardé ?

– A cause de la compo de français.

Gilberte intervint en conciliatrice :

– Ah oui, je comprends, laisse-le, il m'a promis quelque chose.

– Quoi ? De toucher la prime d'incendie pour la baraque ? Mais avec une bougie, tu n'y arriveras jamais, mon bonhomme. Tu veux mon briquet, dis, tu veux mon briquet ?

Il brandissait sous le nez d'Antoine un énorme briquet de cuisine. Antoine se mit à sangloter.

– Oh, ne sois pas ridicule !

– Aussi longtemps que tu seras nourri et logé ici, tu feras ce qu'on te dira. Sinon, je ne vois qu'une solution : le prytanée. Tu sais pas ce que c'est, mon bonhomme, hein, eh ben t'apprendras sur place et tu marcheras au pas, vu ?

Gilberte tenait vraiment à minimiser l'incident.

– Oh, oh, vous savez pas c' qu'on va faire pour changer d'atmosphère, hein, on va passer la soirée au Gaumont-Palace tous les trois ?

– Ah, très bien, parfait ! L'Excellente méthode d'éducation…

Julien alla vers sa chambre pour changer de veston.

Gilberte en profita pour dire en confidence :

– Tu es content de ta composition française ?

– Oui, elle est pas mal.

Antoine renifla.

– Julien, écoute, Julien, je te demande de nous faire confiance ; il nous prépare une bonne surprise, c'est promis.

– Hou, que j'aime pas ça.

– Alors, tu nous emmènes au Gaumont ?

– Hum… Qu'est-ce qu'on y joue ?

– *Paris nous appartient* !

– Si c'est un complot !

– A moins que tu ne viennes pas ?

– Moi ? Pourquoi pas ? J'ai bien travaillé, moi, j' l'ai mérité, moi… hum… seulement les incendiaires, au Gaumont, c'est plutôt mal vu, hein ?

Depuis un moment, il cherchait en vain à boutonner sa veste : le bouton central manquait.

Par une de ces grâces inattendues dont la vie quotidienne n'est pas exempte, ce fut une soirée de franche bonne humeur, avec en plus du film le régal des esquimaux et le panache des Blue Bell Girls. Dans la Dauphine scintillante de pluie et intime comme un chez-soi, Julien resta en verve pendant tout le trajet du retour, Antoine pouffant derrière à chacun de ses bons mots.

Au lieu de donner son nom devant la loge du concierge, il claqua des talons en singeant le salut militaire et en clamant comme un mot de passe :

– Le général du Diable et son état-major !

– Écoute, tu vas réveiller tout l'immeuble ! protesta Gilberte, faussement offusquée.

Comme elle passait devant eux dans l'escalier, Julien lui attrapa le mollet :

– Regarde, petit, c'est vrai qu'elle a de belles jambes, ta mère, hein ?

– Voyons, Julien, sois raisonnable.

Ce genre de compliment la flattait plus qu'elle ne voulait le laisser paraître.

– Et nous retrouvons la douceur du foyer, dit-il en entrouvant la porte... Un peu fumant, hein ?

– Mon chéri, les ordures, hein, tu seras gentil...

– Oui, M'man.

– Tu vois, dit-elle en aparté, je l'ai amadoué. J'espère que je n'aurai pas lieu de le regretter.

Antoine s'était empressé d'aller chercher la boîte à ordures. Quand il enjamba le divan dans le couloir, il surprit Julien en train de palper grivoisement les seins de sa mère.

Avant de rendre les résultats de cette fameuse composition de français, P'tite Feuille faisait durer le plaisir en s'étendant longuement sur des remarques préliminaires.

– ... Pour en finir avec les fautes d'orthographe, je m'étonne que Bigey écrive « encore » sans *e*.

– M'sieur, je l'ai déjà vu écrit comme ça.

– Vous vous moquez de moi ?

– Mais si... mais non... enfin, c'était dans une poésie.

– Ah ! c'est juste, je me souviens. Seulement il s'agissait d'une licence poétique !

– M'sieur, je croyais qu'on pouvait, juste pour faire poétique, quoi...

– Pas du tout. Dans ce cas-là, il aurait fallu écrire toute votre copie en vers... Enfin, puisqu'il vaut mieux pécher par excès de savoir que par ignorance, je ne vous compte pas la faute.

Satisfait de sa ruse, car il avait volontairement omis cet *e*, René fit un clin d'œil à Antoine, qui, avec son manque de contrôle habituel, ne put s'empêcher de rigoler.

– Je vous en prie, Doinel, ne vous associez pas au *satisfecit* que je viens de donner à votre camarade.

Il avait retiré la première feuille du paquet et il la tenait en suspens entre le pouce et l'index.

– Si votre copie se présente la première, c'est que j'ai décidé aujourd'hui de donner les résultats dans l'ordre inverse du mérite. *La Recherche de l'Absolu* vous a mené droit au zéro, mon garçon. Pour les autres, moins familiers de Balzac, je dirai qu'il s'agit d'une *Ténébreuse affaire*.

Le silence de la classe était passé de l'assoupissement à une attente un peu sadique, comme sur les gradins de l'arène à l'approche de l'estocade.

– Que votre ami Doinel ait choisi pour sujet la mort de son aïeul, c'était son droit... bien que nous sachions qu'il n'hésite pas à sacrifier ses proches quand cela peut lui être utile...

– M'sieur, c'est vrai...

– Taisez-vous ; si l'événement, ce que j'ignore – est cette fois malheureusement authentique, le style – et cela j'en suis sûr – n'est qu'un emprunt grossier.

– M'sieur, j'ai pas copié, dit Antoine, au bord des larmes.

– Qu'on en juge !

Il mit ses lunettes et lut avec emphase :

– « Soudain, le moribond se dressa sur son lit, jeta sur ses enfants pleins de terreur un regard foudroyant, les cheveux qui lui garnissaient le crâne se dressèrent, ses sourcils se relevèrent, son visage s'illumina comme si le feu s'y était mis, ce qui le rendit sublime, il leva un poing tendu par la rage et cria d'une voix de tonnerre le fameux mot d'Archimède : *Eurêka* (j'ai trouvé) ! »

Il enleva ses lunettes :

– Moi aussi, j'ai trouvé. Vous êtes un plagiaire, Doinel.

– J'ai pas copié, M'sieur.

– Allez apporter votre copie à monsieur le Directeur, et dites-lui que je ne veux plus vous voir d'ici la fin du trimestre. Collombel, accompagnez-le.

Ils sortirent tous deux en silence. Dans l'escalier qui menait au rez-de-chaussée, Antoine se retourna brusquement et fit culbuter Collombel :

– Qu'est-ce qui te prend ?

Antoine filait vers la sortie.

En classe, René prenait sa défense :

– M'sieur, il a pas copié.

– Qui vous demande quelque chose ?

– Je l'aurais vu. Il est à côté de moi.

– Vous voulez être exclu, vous aussi ?

– M'sieur, ça me déplairait pas.

L'impertinence naturelle de René était très efficace. P'tite Feuille bondit de son estrade.

– Sortez !

– M'sieur, il fait froid dehors.

P'tite Feuille était maintenant tout près de lui, il pouvait sentir son souffle sur sa tête, mais cette menace physique ne l'empêcha pas d'ajouter à mi-voix :

– Et puis, c'est pas légal.

– Pas légal, pas légal ! Ah ! je vais te faire voir qui c'est qui fait la loi ici.

Il l'avait saisi au collet et traîné jusqu'à la porte avant de le pousser dehors d'une bourrade. Puis pour parachever cette exclusion, il lui lança son cartable, mais René l'évita et toute une pluie de feuilles s'abattit sur Collombel, resurgi de l'escalier.

– Vous l'avez emmené chez monsieur le Directeur ?

– M'sieur… il s'est sauvé, dit Collombel, déconfit.

– Sauvé !

P'tite Feuille leva les bras au ciel dans un geste d'impuissance.

7

Antoine était resté dans les parages de l'école et René le retrouva à la sortie.

– Tu comprends, je lui ai bourré la gueule, et puis je me suis taillé. Y avait que ça à faire.

– P'tite Feuille était vachement furax. Alors comme j'ai pris ta défense, il m'a exclu quinze jours moi aussi.

– Pauv' vieux !

Hors-la-loi, tous les deux, ils remontèrent la rue Lepic, vers le haut Montmartre où René habitait, une rue pleine d'arbres et d'oiseaux qu'un rayon de soleil hors saison mettait en verve ce jour-là.

– Tu parles, après un coup pareil, j' peux pas retourner à la maison. Mon père m'a dit qu'il me mettrait au « prytanée ».

– « Prytanée » ? J' connais pas.

– Ça doit être un truc militaire.

– T'auras un uniforme, et puis dans l'armée, y a de l'avenir.

– Très peu pour moi !

Antoine ajouta avec nostalgie :

– Ah ! si ça pouvait être dans la marine ! J'voudrais bien voir la mer, j'y suis jamais allé.

Ils s'étaient arrêtés contre la grille d'un jardinet et les moineaux pépiaient toujours dans cette illusion de printemps.

– Moi, j' connais la Manche, j' connais l'Atlantique et la Méditerranée, mais j' connais pas la mer du Nord, dit René avec une légère nuance de pédanterie dans la voix.

Puis s'apercevant du désarroi de son copain :

– Allez, viens, on va habiter chez moi, on s'débrouillera,

– Mais, tes parents ?

– Ma mère picole, et mon père passe sa vie aux courses. Et puis la maison est grande.

Antoine fut très impressionné par la façade de cette villa baroque aux ailes dissymétriques, aux fenêtres disparates, comme si plusieurs architectes rivaux s'en étaient disputé la construction.

Après lui avoir montré le perron principal, René le posta à l'entrée de service :

– Attends-moi ici cinq minutes. Si quelqu'un passe, fais semblant de vendre des timbres antituberculeux.

– J'en ai plus.

René lui tendit un carnet de timbres fripé et redescendit vivement l'escalier.

Il était entré dans le corridor à pas de loup, quand sa mère sortit de la cuisine, une femme sans âge au regard vague et doux, dont le maquillage de théâtre contrastait avec le peignoir douteux.

– Bonsoir, Toute Belle.

– Bonsoir, mon mignon. Tu n'as pas vu Pompon ?

– Non, pas aujourd'hui.

– Il a dû rencontrer une chatte rousse... les rousses leur font perdre la tête... Tu sors ?

– Oui.

– Si tu y penses, passe chez le charcutier italien, et rapporte-moi du salami. Tiens ! dit-elle en sortant de son sac un billet de cinq cents francs.

– Merci.

– Et si tu vois Pompon, ramène-le aussi.

– Entendu.

Un énorme chat siamois vint ronronner contre ses jambes. Elle le prit dans ses bras.

– Celui-là au moins, il ne quitte pas sa mère. C'est le plus beau. Et puis il est si doux, doux... mm...

– Au revoir, Toute Belle, dit René en claquant la porte d'entrée, mais de l'intérieur.

Il alla ouvrir à Antoine de l'autre côté, puis lui fit traverser sur la pointe des pieds des pièces désertes pour aboutir à un immense studio encombré d'un bric-à-brac de grenier, avec des chats siamois miaulant partout. Antoine considérait avec stupeur la hauteur du plafond :

– C'est méchamment grand, chez toi !

– Tu vas t'installer ici, ils y viennent jamais.

Ils chuchotaient comme des complices.

– Pour avoir notre indépendance, il faudrait monter une affaire.

– Une affaire de bateaux, sur une plage.

– Il suffit d'avoir du fric au départ.

– Oui, c'est une question de fric au départ.

– Viens, je vais prendre une avance sur mon héritage.

Antoine le suivit comme dans une église, jusqu'à un salon qui semblait plus meublé, plus habité que le reste de l'appartement. Un chantonnement les fit sursauter et ils se cachèrent derrière deux faux rideaux.

Murmurant un refrain des années 25, Toute Belle entra dans la pièce, son sac à la main. Elle alla retirer d'un vase un bouquet d'immortelles, retourna le vase, en fit tomber une clé, ouvrit un coffre et y déposa son sac. Puis elle referma le coffre et remit le tout en place.

Quand elle fut sortie de la pièce, les deux copains surgirent de derrière leurs rideaux. René refit un à un tous les gestes de sa mère pour prélever mille francs dans le sac avant de remettre la clé sous les immortelles. D'une pièce voisine, un disque éraillé ranima la voix de Mistinguett :

On dit que j'ai de belles gambettes :
C'est vrai !...

Alors, dans un mouvement de bravade, ils sortirent tous deux par la grande porte, René prenant seulement la précaution d'éviter tout bruit grâce à un étui de peigne glissé contre le pêne de la serrure et récupéré adroitement de l'autre côté.

Ivres de liberté, ils dévalèrent la petite rue provinciale, apeurant une fillette par leur exubérance, puis les marches du Sacré-Cœur avec tout Paris à leurs pieds. Un vieux curé remontait le long escalier.

– Bonjour, Madame ! lui dit Antoine en le croisant.

– Petits malheureux ! s'écria le curé avec un accent de l'Aveyron.

Ainsi commençait une période de vie clandestine que d'un commun accord ils appelèrent « la java ». Elle ne dura sans doute que quelques jours, mais son caractère d'exception leur laissa un souvenir inoubliable.

Du fond de sa retraite, Antoine découvrait que, comparés aux siens, les parents de René sortaient vraiment du commun. En plein repas, profitant des allées et venues de son père, René venait le ravitailler en cachette. Pendant ce temps, Toute Belle devait grignoter dans sa chambre.

Ancien secrétaire du Jockey-Club, ruiné par le jeu et par des spéculations malheureuses, M. Bigey s'efforçait de conserver le plus de dignité possible dans le délabrement de son foyer.

– Est-ce que tu as vu ta mère ces temps-ci ? demanda-t-il un soir à René.

– Oui, aujourd'hui, quand je suis rentré de l'école.

– Elle s'est arrangée pour que ses horaires ne coïncident pas avec les miens… Elle doit préparer un mauvais coup… Où sont les fruits ?

– Dans la cuisine.

Un instant, M. Bigey fixa son fils, dont les yeux clignotants feignaient l'envie de dormir et l'incompréhension. Alors le père se leva et sortit. Aussitôt, René ramassa vivement sur la table du pain et du fromage qu'il alla jeter à Antoine dans l'ombre de son repaire, non sans avoir, au passage, avancé les aiguilles de la pendule.

Il était de nouveau assis à sa place quand son père revint avec la corbeille de fruits.

– Est-ce que tu voudrais me faire une commission auprès de ta mère ?

René gardait cette fausse mine ahurie qui était le comble de l'insolence.

– Rassure-toi, je ne serai pas ingrat.

Cette fois, il donnait des signes d'entendement. M. Bigey sortit un papier de sa poche.

– Voilà, tu n'as qu'à lui faire signer ce papier... Bien entendu, il faudrait trouver un moment où ses facultés de compréhension soient un peu... émoussées, tu vois ce que je veux dire ?

– Mais il est blanc, ce papier, il n'y a rien dessus !

– Ben, justement, elle peut signer n'importe où... sur le timbre, par exemple, ça m'arrangerait.

– Tu sais, il suffit que ça vienne de moi pour qu'elle se méfie.

– Mais non, elle t'aime beaucoup. Tâche d'être un peu câlin, enjôleur, tu veux bien ?

– Je vais essayer.

– D'ailleurs, il y va de ton intérêt comme du mien. Sans cette signature, elle peut sur une lubie vendre l'appartement, et nous serons à la rue tous les deux, du jour au lendemain.

Il regarda la pendule.

– Diable, déjà neuf heures et demie. Je vais être en retard au cercle.

Dès qu'il fut sorti, René alla remettre la pendule à l'heure, puis libérer Antoine de sa cachette :

– Magne-toi, on va rater les actualités !

Le film leur plut tellement que, pour en garder un souvenir, ils arrachèrent en partant la photo de la vedette. Ce soir-là, dans les lavabos d'un café, pour changer un peu ils emportèrent un réveil, qui se mit plus tard à sonner dans la rue, à leur grand effarement, puis à leur grande joie.

Le temps n'existait plus pour eux. Il leur arrivait de dormir le jour sur les bords de la Seine, et de passer la nuit à jouer au jacquet ou à aborder des questions plus ou moins scientifiques :

– Dis donc, j'ai l'impression que ma tête est plus grosse que la tienne, dit un soir René en se palpant l'occiput devant la glace.

– Pas tellement.

– C'est important à cause du poids du cerveau. J'ai lu ça dans un bouquin. Tous les grands hommes l'avaient plus lourd que les autres.

Ce genre de connaissances en imposait toujours à Antoine :

– Comment on peut savoir quand ils sont morts ?

– En calculant le volume, d'après leur portrait et d'après leur boîte crânienne. Napoléon et Galilée, c'étaient les plus gros.

– Combien ?

– Deux kilos trois cents. Cuvier aussi, pas mal : deux kilos cent cinquante. Celui des femmes est toujours inférieur : un kilo sept cent cinquante en moyenne.

Pendant ce temps, ils fumaient les cigares de M. Bigey. Une nuit, un fou rire persistant manqua de les trahir. Un bruit de porte les alertant, ils dissipèrent la fumée avec une couverture et Antoine se glissa sous le lit, tandis que René rangeait le jacquet. Les pas se rapprochèrent et la porte s'entrouvrit.

– Mais qu'est-ce qui se passe, dit M. Bigey, c'est une vraie tabagie, on se croirait dans un tripot, ma parole !

Il se baissa à la grande crainte d'Antoine, et ramassa un mégot.

– Mes cigares ! Je me disais bien aussi que ce n'était pas ta mère.

– Elle a dit qu'elle signerait si tu lui donnais cinq mille balles.

– Pourquoi n'es-tu pas encore couché ?

– J'apprenais ma leçon d'histoire.

– Et ça te faisait rire ? C'est pourtant bien la seule matière qui puisse vous donner un peu le sens du respect, de la tradition française.

– Nous, tu sais, on fait les Pharaons.

Antoine fut sur le point de pouffer sous le lit.

– Bon, bon. Eh bien, je te retiendrai trois cigares sur ton argent de poche.

– Bien, Papa.

– Et puis, ne prenez pas cette pièce pour un dépotoir.

Ce pluriel les intrigua fort.

Chez les Doinel, la vie quotidienne était quelque peu affectée par la fugue d'Antoine. Un matin que Julien était en train de se raser devant la petite glace embuée, le visage encore bouffi de sommeil :

– Julien, les ordures !

Il sursauta.

– Quoi, les ordures ?

– Il y a trois jours qu'elles n'ont pas été vidées.

– Je peux pas tout faire à la fois.

– Moi non plus. Depuis que le gosse est parti...

Elle s'interrompit, gênée. Il s'arrêta de se raser, goguenard :

– La poubelle déborde, hein ?

– Forcément, avec le souci que je me fais, tout me devient à charge.

Devant sa coiffeuse, elle interrogea son visage pour s'assurer que « le souci » n'y marquait pas trop de rides nouvelles, et elle se massa longuement sous les yeux.

– Il serait quand même temps que tu agisses.

Il était retourné à l'école, il s'était informé auprès des commerçants du quartier. Que pouvait-il faire de plus ?

– Tu devrais aller voir chez ce René Bigey, tu sais bien, ce petit voyou dont il parle toujours.

Elle prit le frise-cils et l'appliqua sur son œil tout en étirant ses lèvres vers le bas.

– Ses parents l'ont retiré de l'école.

Elle arrêta l'opération tout net :

– Et tu me le dis maintenant ! Mais il fallait tout de suite aller chez eux.

– Tu sais bien que j'avais la sous-commission, et le rapport de fin d'année...

– Pour ce que ça te rapporte !

– Il faut voir plus loin que le bout de son nez.

– Dieu merci, y a pas de rallye dimanche. Alors, tu sais ce qui te reste à faire.

Le dimanche, vers midi, du haut d'une fenêtre mansardée, Antoine et René se livraient à des expériences balistiques sur le dos des passants. René les visait avec une sarbacane dont Antoine préparait les projectiles. Le guide Michelin de son père fournissait la matière première, ses pages s'étant révélées plus fines et plus malléables que celles du dictionnaire médical des Bigey.

Chaque fois qu'un coup portait, on entendait des protestations dans la rue. Mais il leur suffisait de se baisser vivement pour se mettre hors de vue et d'atteinte.

Le jeu commençait à devenir monotone et les cibles plus rares quand, en se relevant, ils découvrirent dans la maison d'en face un spectacle inédit. Une famille endimanchée s'apprêtait à sortir lorsque la fillette prit dans ses bras un chien en peluche d'une saleté repoussante.

– Voyons, Madeleine, dit la mère, tu ne vas pas emmener « ça » au restaurant, que dirait-on de nous ?

– Si, je veux l'emmener, il a faim.

– Tu lui rapporteras quelque chose.

– C'est pas pareil. Il veut manger avec nous.

– Mado, tu vas me faire plaisir pour une fois d'être raisonnable en laissant ce chien ici.

Elle trépigna :

– Non, non et non !

Le père intervint :

– Je ne vois pas pourquoi tu discutes avec elle.

Et se tournant vers Madeleine :

– C'est une fessée que tu cherches ?

Elle passa aux pleurs et aux cris :

– J'irai pas sans Totor, j'irai pas sans Totor ...

– Mado, tu le regretteras, dit la mère.

– Et pis, j'ai pas faim, là.

– Laisse-la donc, dit le père en clignant de l'œil. Puisqu'elle n'a pas faim. Ça nous fera des économies.

Et ils sortirent en toute simplicité. Quelques instants plus tard, la mère rentra sur le prétexte d'avoir oublié ses gants. Aussitôt Madeleine s'adressa exclusivement à son chien :

– Joli, Totor... On va rester rien que tous les deux, et pis je vais bien te laver, mon fils...

– Alors, c'est décidé, tu ne viens pas avec nous ?

Madeleine ne répondit pas, occupée à débroussailler le poil de Totor. Et prise à sa propre feinte, la mère fut obligée de repartir. Quand elle eut claqué la porte, Madeleine abandonna le chien et vint se poster derrière les volets, d'où elle regarda ses parents traverser la rue.

Alors seulement elle rouvrit la fenêtre pour installer Totor sur le balcon. Bientôt, elle fut prise de fou rire. En face de chez elle, un petit garçon que René ni Antoine ne pouvaient voir faisait des grimaces pour la distraire. Flatté par son succès, il disparut pour revenir avec divers outils. Un marteau en guise de hachette lui permit de mimer la danse du scalp, et un tournevis de se faire harakiri. Madeleine riait de plus belle.

Intrigués, René et Antoine parvinrent en se penchant à voir la fenêtre d'où semblait venir l'attraction. Le petit garçon y resurgit, drapé dans un drap de lit avec la majesté d'un empereur romain. Mais sa mère vint le gifler et referma la fenêtre, après avoir esquissé un geste de menace en direction de Madeleine qui lui tira la langue comme pour avoir le dernier mot.

Quand elle fut de nouveau disponible, Antoine et René essayèrent, mais en vain, d'attirer son attention. Elle avait décidé de les ignorer, à moins qu'elle n'ait déjà opté pour un autre projet.

– J'ai faim, j'ai faim, se mit-elle soudain à hurler, plantée sur le balcon.

Ses cris alertèrent une voisine :

– Qu'est-ce qui se passe, ma petite fille ?

– Papa et Maman sont partis au restaurant et ils ont pas voulu m'emmener. J'ai faim.

Des murmures d'indignation se répandirent d'un étage à l'autre, autour des tables où l'on prenait le repas dominical.

– C'est-y pas malheureux !

– Y en a qui font des gosses on peut pas dire qu'ils le font exprès !

– C'est tous les jours dans les journaux qu'on voit des enfants martyrs !

Antoine et René renchérissaient sur ce concert de désapprobation :

– Ah ! les bourreaux, les vaches !...

– Il faut faire quelque chose pour elle ! conclut René. Et il demanda à Madeleine d'attendre un moment.

Elle était maintenant ravie d'avoir mobilisé l'attention de toute la rue et, lorsqu'ils lui lancèrent une corde, elle fit de son mieux pour l'attraper à la deuxième tentative, puis pour la faire passer derrière un montant du balcon et la leur renvoyer selon leurs instructions.

Grâce à ce système imité du téléphérique, ils lui firent parvenir un petit panier chargé de gâteaux et de fruits, à l'admiration générale. Elle vida le panier et le renvoya, avant de défaire la corde. Puis, sans les remercier, elle récupéra Totor et rentra négligemment dans le salon.

Un peu plus tard, ils entendirent le retour des parents et, de leur fenêtre, la mère qui demandait :

– Tu n'as pas faim ?

– Non, non.

– Comment ça se fait ?

– J'ai mangé des gâteaux.

La mère regarda en face d'un œil soupçonneux. René referma précipitamment la fenêtre tandis qu'Antoine éclatait de rire. Une fois de plus, les enfants s'étaient joués des adultes, et tout le quartier avait marché.

Mais cet exploit leur avait coûté leur propre déjeuner. Affamés, ils se risquèrent dans la cuisine et firent chauffer du sucre dans une casserole. Une hardiesse entraînant l'autre, ils retournèrent dans la grande pièce et versèrent le caramel sur le marbre de la cheminée pour le faire refroidir. Il y prit si bien qu'il aurait fallu un marteau pour l'en détacher. Un cheval de bronze fit l'affaire.

– Vas-y un bon coup, dit Antoine.

– Oh ! merde.

Le cheval s'était brisé.

– Qu'est-ce qu'on va faire ?

– On essaiera de le recoller.

Dans l'insouciance de l'immédiat, ils sucèrent des bouts de caramel qui leur donnèrent soif. Plus rien à boire dans la cuisine, que le lait des chats. Antoine se mit à quatre pattes et but à même l'assiette. Pompon arriva près de lui, la queue dressée, l'air quémandeur.

– Hé, vise, une bouteille d'apéro ! cria René qui venait de fouiller tout un placard poussiéreux.

– Dis, Pompon, tu veux biberonner ?

Le chat se frottait contre les mollets d'Antoine.

– Attends, mon mignon… Tiens-le un peu, dit-il à René. Je vais lui préparer un petit cocktail.

Et il versa de l'apéritif dans le lait de l'assiette.

– Là, bois mon Pompon, bois, mon chat...

Le chat se mit à laper et les enfants à rire : la « java » battait son plein.

Si bien qu'ils n'entendirent pas Toute Belle sur le perron prendre congé de deux amies aussi fardées et aussi anachroniques qu'elle :

– Entendu pour jeudi.

– On pourrait revoir *Mayerling.*

– Ça n'est plus Charles Boyer, tu sais !

– Mais l'histoire est si belle !

– Au revoir, mes chéries.

Elle surprit les deux gosses pliés en deux autour du chat qui glissait sur le parquet.

– Qu'est-ce que vous avez fait à Pompon ?... Viens voir Toute Belle, mon joli.

Elle essaya de l'attraper, mais elle titubait autant que lui. René fit de l'œil à Antoine qui se remit à glousser.

– On vous voit souvent ici depuis quelque temps, hein, lui dit-elle avec soudain ce regard inquiétant de l'ivresse.

– Il est venu passer l'après-midi avec moi.

– Est-ce qu'on vous a élevé dans une roulotte ? lui demanda-t-elle de ce même ton égaré.

Antoine était maintenant terrorisé. René lui fit signe de ne pas s'en faire.

– C'est mon meilleur copain, tu sais bien, Doinel.

– Il n'y a que les bohémiens pour martyriser les animaux.

Elle reprit d'un ton plus doux :

– Il ne faut jamais toucher aux animaux, mon enfant.

Puis, apercevant le cheval brisé :

– Même en bronze. Le Cheval de Claudion ! (Ainsi appelait-elle son époux.) Bien fait pour lui... Mais ça va barder pour toi, tu sais, René.

– On va le cacher.

– Il s'en apercevra. « Star of Aran ! » Il l'aimait tellement, ce cheval. Et ç'a été le début de nos malheurs.

Elle prit la moitié du trophée hippique dans sa main.

– Ah ! c'est trop drôle... Qu'est-ce que tu vas prendre !

– Faudrait le coller, dit René.

Elle dit d'un ton de magicienne :

– Moi, j'ai une colle spéciale.

Ils étaient encore assez jeunes pour être sensibles à ce genre de charme.

– Oh, oui, Toute Belle, fais-le pour nous, va.

– A une condition. C'est que vous alliez chez l'épicier du coin me chercher une bouteille de vin fou.

– D'accord.

– A vos frais, bien entendu, et ne dites pas que c'est pour moi.

Ils étaient partis depuis un moment lorsqu'on sonna. Les croyant déjà de retour, elle alla ouvrir en peignoir. Julien Doinel se présenta, d'autant plus embarrassé qu'elle le laissa à la porte :

– Je m'excuse, Madame... un dimanche... mais j'ai pensé justement que ce jour-là j'avais des chances de vous trouver et peut-être... par votre fils...

– Il n'est pas là, Monsieur, il est aux courses avec son père.

– Comme il a quitté l'école le même jour que le mien, Antoine Doinel…

– Tiens, tiens, dit-elle intriguée, puis, se ressaisissant : c'est bien son droit, non ?

Elle venait d'apercevoir sur le trottoir les deux enfants lui rapportant son vin. Elle eut un coup d'œil vers eux et Antoine reconnut son père.

– Oui, bien sûr, mais si vous aviez une idée…

– J'en ai une, dit-elle en l'invitant du geste à entrer dans l'antichambre.

Par la porte, laissée entrouverte, elle vit les deux enfants faire demi-tour en direction de l'entrée de service.

– Voyez-vous, Monsieur, comprendre c'est aimer.

Julien fut nettement pris de court :

– Pardon… ?

– Aimez-vous assez votre fils ?

– Mais, Madame…

– Ne vous dérobez pas ! dit-elle en souriant d'un ton protecteur. Faites votre examen de conscience ! Chaque fois que sa petite âme avide de tendresse s'est tournée vers vous comme vers le soleil, avez-vous répondu à son appel ?

– Sa p'tite âme ! Si vous connaissiez l'oiseau !

– Mais je le connais, et la dernière fois que je l'ai vu…

– Vous vous rappelez quand ?

– Hum… ça devait être la semaine dernière, on sentait très bien que cet enfant-là ne s'était pas épanoui. Il avait l'air replié sur lui-même.

– Un sournois, oui. Il fait toujours ses coups en douce. Avec l'aide de votre fils, d'ailleurs.

De nouveau, elle voulut le prendre de haut, mais elle avait fait un grand effort sur elle-même et son ivresse la trahit :

– Hum, hou, Monsieur... j'ai éle... j'ai élevé mon fils à ma façon... je m'en trouve... et je m'en trouve pas mal du tout.

– Tant mieux pour vous, Madame.

Elle fit un pas indécis vers la porte :

– Je ne vois vraiment rien d'autre à ajouter.

– Puisque vous ne voulez rien me dire, je vais de ce pas chez le commissaire déclarer sa disparition.

– On récolte ce qu'on a semé !

Il sortit, furieux. Elle lui claqua la porte dans le dos. Antoine et René, qui avaient suivi la fin de l'entretien dissimulés derrière une loggia, en redescendirent brusquement, la bouteille à la main, et ils rirent tous les trois en chœur : Toute Belle avait rallié leur clan.

Le cas de Claudion était moins net. De son passé à la fois mondain et douteux, M. Bigey avait conservé un comportement ambigu. Pourtant, apparemment, rien n'était changé à ses habitudes. Chaque jour, après un déjeuner rapide d'homme d'affaires, il s'enfermait dans sa chambre, *Paris-Turf* à la main, et l'on entendait bientôt bourdonner à la radio de mystérieux conseils :

– ... Dans le prix des Boutons d'Or, *Fée Mélusine* semble avoir une chance de premier ordre si le terrain ne s'alourdit pas... Le prix du Premier Pas verra débuter quelques poulains aux origines *fashionable*. En nous en tenant aux aptitudes des origines et à la forme des écuries, nous désignerons *Persona Grata 506* et *Petite*

Touche 512 dans l'ordre de nos préférences. Enfin dans le handicap final, prix de la Fouilleuse, nous détacherons d'un lot particulièrement touffu le top-weight *Baba au Rhum 701* très régulier sur la distance et l'outsider *Whisky à gogo 715* bien placé au poids.

– C'étaient les indiscrétions hippiques de Jean Varange…

M. Bigey continua à faire quelques croix et à souligner quelques noms sur son journal, tandis que le speaker enchaînait :

– Et maintenant un communiqué du Service de Recherches dans l'intérêt des familles, ministère de l'Intérieur, 11, rue des Saussaies… Le jeune Antoine Doinel, âgé de treize ans et demi, a quitté le domicile paternel à Paris, le 18 novembre dernier. Signalement…

M. Bigey avait enlevé ses lunettes et dressé l'oreille :

– … Cheveux châtains, yeux marron, démarche vive. Il portait un blouson à carreaux rouge et noir et un pantalon de velours…

– René !

… En cas de découverte, prévenir le commissariat du neuvième arrondissement, ou le Service de Recherches dans l'intérêt des familles a ANJou 28-30, poste 835.

Il tourna le bouton et appela plus fort :

– René !

Puis il se leva, arpenta la pièce et sortit des papiers du tiroir d'un secrétaire au moment René entrait, l'air angélique :

– Oui, P'pa.

– Cette comédie ne peut plus durer.

– Quoi, P'pa ?

– Premier point : ce n'est pas moi qui ai signé ce carnet de notes.

– Je voulais pas t'embêter avec des notes si faibles. Tu as assez d'ennuis comme ça, avec Toute Belle qui veut pas signer ce papier…

– Ça n'a rien à voir. Et d'ailleurs si tu t'étais montré un peu plus adroit… aussi adroit par exemple que pour rédiger cette lettre à ton directeur en imitant mon écriture, elle l'aurait signé ce papier.

– Elle a rien voulu savoir.

– J'apprends donc par cette lettre que je t'ai retiré de l'école. Soyons logiques avec nous-mêmes : je vais te chercher du travail.

– C'est normal.

– Deuxième et dernier point : j'en ai assez de toutes ces histoires avec ton locataire clandestin.

– Mais, P'pa…

– Tu t'imagines que j'étais dupe. Tous ces cigares, toutes ces bouteilles qui disparaissent, « Star of Aran » brisé, rafistolé de façon ridicule… Fini tout ça. Maintenant la police le recherche et je ne veux pas que ces messieurs mettent les pieds ici. J'ai eu affaire à eux à une époque où c'était parfaitement honorable – tu comprendras plus tard. Aujourd'hui, ce serait inconvenant. Si donc ce garçon n'est pas parti d'ici ce soir, j'aurai le regret de devoir moi-même le dénoncer.

8

Antoine dut retourner dormir à l'imprimerie. C'était la fin de la « java ». Et la veille d'une grande décision. Pour pouvoir partir à la campagne « monter une affaire », il fallait « du fric au départ ». Et jusqu'ici les deux copains n'avaient trouvé que de petits expédients.

Ils emmenaient par exemple la fille d'une voisine au Guignol des Tuileries pour la somme forfaitaire de trois cents francs, ce qui leur laissait de quoi s'offrir des sodas ou des cigarettes. Ce jeudi-là, en arrière-plan de la masse des bambins et des fillettes frénétiques, électrisés par les mésaventures du méchant loup et d'une mère-grand à face d'épouvantail, ils se sentaient nettement d'une autre génération.

– S'agit de savoir ce qu'on veut, disait René, en imitant inconsciemment Bob le Flambeur ou Jo la Casse.

– Y en a bien une au bureau de mon père ...

– Alors faut pas se dégonfler.

– Oui, oui, oui ! hurlait le parterre de mistons pour réclamer le châtiment du loup avec autant de sauvagerie qu'une plèbe romaine face aux gladiateurs.

– Tu veux y aller, toi ? dit Antoine.

– Je veux bien t'accompagner en bas. Mais je connais pas les lieux, moi.

– De toute façon, on pourra jamais la revendre. Elles sont toutes numérotées.

– Faut pas la revendre. Faut la mettre au Mont-de-Piété.

– Ah ! pas con !

– Ma mère a foutu toute la baraque au Mont-de-Piété.

Épuisé par tant d'émotion, un petit garçon devant eux laissait tomber câlinement sa tête sur l'épaule de sa voisine.

Tandis que René faisait le guet au bas de l'immeuble des Champs-Élysées, à l'heure creuse du déjeuner, Antoine, le cœur battant, parcourait sans encombre les couloirs déserts dans une atmosphère desséchée par le chauffage central. Comme prévu, le bureau était ouvert. Il longea le comptoir qui séparait les clients des dactylos, se glissa dessous sans soulever la planchette qui permettait de passer la frontière et choisit la machine la plus proche. Elle était lourde. Il la posa sur le comptoir ce qui déclencha la sonnerie de « fin de ligne », repassa dessous et la prit dans ses bras pour se mettre à courir le long des couloirs, puis à dévaler l'escalier à une cadence et avec une vigueur qui auraient étonné même de la part d'un homme. Il se sentait porté par elle et incapable de s'arrêter sous peine de s'effondrer sous la charge.

Il passa donc en courant devant René et l'entraîna dans son sillage, soulevant un tourbillon de pigeons dérangés dans leurs habitudes, avant de s'engouffrer dans le métro. Là enfin, il put souffler, s'apercevant que personne ne leur prêtait d'attention particulière.

René alla en avant-coureur au Crédit Municipal de la rue Forest, derrière le Gaumont, pour y apprendre que les mineurs n'ont le droit de rien engager. Il fallait qu'un adulte s'en chargeât à leur place. Des spécialistes de ce genre de petits services rôdent heureusement dans le quartier, toujours prêts à témoigner pour l'établissement d'une carte d'identité ou à aider dans un déménagement d'un meublé à un autre.

René en reconnut un dont sa mère avait déjà utilisé les bons offices.

– Combien ? lui demanda-t-il.

– Dix pour cent.

– D'accord.

– Mille tout de suite.

– Ah ! non, quand vous reviendrez.

– Eh ben, la confiance règne !

La confiance régnait si peu qu'ils guettèrent sa sortie derrière la vitre d'un café. Bientôt, il réapparut, la machine toujours sous le bras, jeta un coup d'œil autour de lui et s'esquiva dans une rue adjacente.

Ils sortirent en trombe du café et lui coururent après :

– Hé, M'sieur, rendez-nous notre machine !

– Faut pas vous tirer comme ça.

– Tiens, j'aurais juré que vous étiez par là-bas, dit-il sans se démonter.

– Ouais, bien sûr.

– De toute façon, ça a pas marché. Faut pouvoir montrer la facture.

– Bon, alors rendez-nous notre machine.

– D'accord, mais y a le dérangement. Disons cinq cents balles et ça fera l'affaire.

– On les a pas, dit Antoine.

– Z'avez bien un petit quèque chose, quoi, tiens, trois cents et on n'en parle plus.

– On n'a pas un rond.

– Donnez-nous notre machine.

– Mes p'tits agneaux, moi je travaille pas pour rien. Tant pis pour vous, je la garde en dépôt.

– Des clous, hé, elle est à nous.

– Écoutez, rendez-nous notre machine ou bien j' vous fais une grosse tête, dit Antoine révolté par tant de mauvaise foi.

– Hé, bas les pattes. Elle est pas plus à vous qu'à moi, compris ?

René aperçut alors un agent au bas de la rue :

– On pourrait lui demander, dit-il en le montrant du doigt.

Aussitôt le type se dégonfla.

– C'est bon, gardez-le votre engin.

Et il s'éloigna en grommelant :

– P'tits merdeux, p'tits paumés…

L'énorme Underwood se révélait non seulement invendable, inutile et compromettante, mais aussi pénible à traîner qu'un boulet, le long du pont sinistre qui domine le cimetière Montmartre, dont les tombes dénudées étaient blanchies par le givre.

– Oh ! merde, j'en ai marre de la porter, dit Antoine.

– Chacun son tour.

– Et pis, mon père va se douter qu' c'est moi qui l'ai piquée.

– C'est toi qu'en as eu l'idée.

– Oh ! c'est toi, hé salaud.

– Ça alors !

– J' m'en fous, j' la laisse là.

Il se baissa pour déposer la machine sur le trottoir. René le rattrapa aussitôt :

– T'es pas tombé sur la tête, non ?

– Bon, ça va... De toute façon, faut que je retourne au bureau du vieux la reporter... Mais je vais me mettre un chapeau sur la tête. Comme ça, si le concierge me voit, y dira qu'il a vu passer un homme.

René passa chez lui emprunter discrètement un chapeau de son père, et ils se retrouvèrent devant le passage du Lido.

– Allez, sois pas vache, rapporte-la à ma place, dit Antoine.

– Ah ! non, pas question, c'est pas moi qui ai eu l'idée.

– C'est bon, mais t'es un beau salaud !

Il tendit la machine à René, sortit de son blouson le chapeau plié en deux et alla devant une vitrine l'enfoncer sur sa tête, sous le regard étonné des passants.

René l'attendit de nouveau, plus inquiet que la première fois, devant une vitrine constellée d'une profusion de soutiens-gorge.

Vidés par la sortie des employés, les bureaux se présentaient aussi déserts qu'à midi, mais son chapeau enfoncé jusqu'aux oreilles et sa démarche alourdie par la fatigue donnaient à Antoine une silhouette de gnome autrement insolite.

Par la meurtrière de verre de l'ascenseur, le concierge qui allait commencer le ménage des étages supérieurs en fut frappé. Aussitôt il redescendit et, approchant sur la pointe des pieds, il saisit Antoine au collet juste au moment où celui-ci cherchait où remettre la machine.

– Oh ! mais dis donc, tu es bien le fils Doinel, toi, j'ai pas la berlue. Pose ça là !

Antoine se sentit soulagé de se débarrasser enfin de ce fardeau.

– Ah ! c'est Papa qui va être content. Et moi qui me fais engueuler depuis tantôt parce que je surveille pas les entrées. Tu vas me payer ça !

D'un vif mouvement du cou, Antoine essaya de s'esquiver mais le concierge rattrapa le col de son blouson en le tordant, et l'entraîna vers le téléphone :

– Ah ! j' te préviens, n'essaie pas de me jouer la fille de l'air, parce que je connais la musique, moi. Et j'aime pas les petits malins de ton espèce.

Il y avait dans son visage en lame de couteau, et surtout dans ses yeux de fouine, l'expression d'un caporalisme revanchard enfin satisfait par les circonstances.

– Allô, le poste 125, est-ce que M. Doinel est encore là ?... En conférence ?... Oui, mais c'est urgent.

Antoine voulut se débarrasser de son chapeau, mais il ne le quittait pas des yeux et lui dit, comme s'il s'agissait d'une preuve capitale de culpabilité :

– Touche pas le chapeau !

Puis, se radoucissant :

– Allô ! Oui, M'sieur Doinel… Oui, excusez-moi de vous déranger pendant votre conférence… oui… ah ! non, il faudrait que ce soit vous qui montiez.

Et, pour se ménager un effet de suspens tout en fixant de nouveau Antoine :

– Oui, oui… mettons que c'est une surprise, mais pas agréable.

Julien réagit vivement. Cet incident faisait déborder le désordre de son foyer dans une vie professionnelle elle-même compromise tous ces temps derniers par ses activités parallèles. La disparition de la machine avait fait grand bruit au bureau, le patron avait porté plainte, et maintenant le scandale allait rejaillir sur lui. Tout ça à cause d'un rejeton qui n'était même pas de sa propre souche…

Il lui avait passé son écharpe autour du cou et le poussait devant lui sur les Champs-Élysées, quand ils croisèrent René, complètement ahuri :

– Regarde-le ton copain, et tâche de t'en souvenir, parce que vous n'êtes pas près de vous revoir !

Impressionnés par ce ton de menace, ils se firent un petit signe d'adieu, tandis que Julien entraînait Antoine à grands pas, tenant toujours l'écharpe serrée très fort autour de son cou :

– … Tu penses bien que je t'emmène pas à une partie de plaisir… Non, finie la rigolade…

Dans une vitrine, un carrousel d'anges tournoyait, annonciateur de Noël.

– … Enfin, ta mère et moi on va pouvoir dormir tranquilles… Ça te mettra peut-être du plomb dans la tête… De toute façon, ça ne pouvait plus durer…

Des enfants regardaient le premier cirque de jouets mécaniques, le premier sapin illuminé.

Après un trajet silencieux en voiture, Julien le mena rue Ballu, au commissariat de police. On y accédait par une entrée voisine du poste, puis par un petit escalier crasseux, et enfin par une porte à battants séparant le commissaire de ses adjoints.

Julien justifia longuement sa démarche :

– On a tout essayé, monsieur le commissaire : la douceur, la persuasion, les sanctions... Remarquez on l'a jamais battu, ça, on peut pas dire...

– Il y a des cas où les bonnes vieilles méthodes...

– Oui, bien sûr, seulement, c'est pas notre genre à sa mère et à moi. On le laissait plutôt libre.

– Trop, peut-être.

– Non, ça on peut pas dire non plus, enfin dans la mesure où on travaille tous les deux, vous savez ce que c'est.

– Je suis père de famille, moi aussi. Il faut reconnaître que parfois on ne s'y retrouve pas très bien.

– Mais si seulement il avait voulu se confier à nous. Pensez-vous, on lui parle, il est ailleurs. Tenez, vous croyez qu'il écoute. Regardez comment je l'ai trouvé avec la machine !

Et il lui mit le chapeau sur les yeux, persuadé lui aussi de l'importance de ce détail.

– Allez savoir ce qui lui passe par la tête !

– Cabanel ! appela le commissaire.

Un inspecteur au visage mince et aux yeux clairs, légèrement globuleux, entra discrètement. Le commissaire lui parla à voix basse :

– Voulez-vous me consigner la déposition de ce garçon : vagabondage et vol.

– Entendu, patron. Allez, viens, dit-il à Antoine avec bienveillance. Et le poussant doucement par la nuque, il l'entraîna dans le bureau voisin.

Resté seul avec Julien, le commissaire lui donna nettement l'impression qu'il avait surtout voulu éloigner Antoine :

– Pour le vol, puisqu'il y a eu restitution, je pense que ça pourra s'arranger.

– C'est pas la première fois, vous savez.

– L'important, c'est de savoir ce que vous décidez.

– Ça, on peut plus le reprendre à la maison.

– Vous voulez pas me le ramener demain matin ? On le conduirait tout de suite devant le juge pour enfants.

– D'ici là, il se sauvera encore. Et puis, il aura pas l'impression d'être puni. Alors je sais pas moi, si vous pouviez le faire surveiller quelque part, à la campagne par exemple, et puis le faire travailler, puisqu'à l'école il ne veut plus rien fiche...

– On pourra essayer le Centre d'Observation. C'est bien organisé maintenant. Il y a des ateliers où l'on travaille le bois et le fer.

– Oui, c'est ça, ça lui ferait du bien.

– A condition qu'il y ait de la place, bien entendu.

D'un ton plus grave, le commissaire ajouta :

– Pour ça, il faudra faire une demande en correction paternelle.

– Ah ! dit Julien, assez impressionné.

– Oui, pour que l'Éducation surveillée puisse le prendre en charge... Et demain matin, il faudra que vous

vous trouviez au tribunal pour enfants... Enfin vous ou votre femme...

En redescendant le petit escalier crasseux, Julien avait le sentiment confus d'avoir mis le doigt dans un engrenage.

– Fils de Doinel... comment s'appelle ton père ? disait l'inspecteur tout en tapant à la machine.

– Julien, M'sieur.

– Julien, et de De Possel... De Possel, c'est en deux mots ?

– Oui, M'sieur.

– De Possel, Gilberte... reconnaît avoir vécu en état de vagabondage du... quel jour tu es parti de chez toi ?

– J' me souviens plus, M'sieur.

– Ouais, ton père a dû l'écrire par là... ah voilà, vagabondage du 18...

– Mais j'étais pas vagabond, j'habitais chez mon ami René !

– Ses parents pourront témoigner ?

Antoine vit soudain se fermer cette issue :

– Non, ils voudront pas.

Les touches de la machine recommencèrent à grignoter.

– ... Vagabondage du 18 au 24 novembre... bon. Et maintenant cette machine, il était quelle heure quand tu l'as fauchée ?

– Midi et demi, une heure. Mais je l'ai pas fauchée, j' voulais juste l'emprunter, M'sieur !

– Pour quoi faire ?

– Ben, pour écrire une lettre au directeur de mon école,

pour qu'il ne reconnaisse pas mon écriture. La preuve c'est que je l'ai rendue le soir même.

Malgré son parti pris de bienveillance, l'inspecteur restait sceptique :

– Ouais… Personne t'a vu entrer dans l'immeuble ?

– Non.

– Ce même jour, vers treize heures, déclare avoir pénétré subrepticement…

Un rouquin barbu vint s'interposer pour vider la corbeille à papier que l'inspecteur lui tendit machinalement. Antoine le considéra avec tout l'intérêt que méritait n'importe quelle diversion à l'ennui de cet interrogatoire au ralenti. Il ne savait pas le numéro du bureau des Champs-Élysées, seulement le nom, parce qu'il était drôle : S.M.A.C.

Pendant que l'inspecteur cherchait dans un bottin, il essaya de déchiffrer la marque de la machine. Ce n'était pas une Underwood et, à première vue, elle semblait moins lourde…

– Tiens, signe ici, finit par lui dire l'inspecteur.

Pendant les longues heures d'inactivité scolaire, il avait mis au point de nombreuses formes de signature. Un paraphe rapide et solennel d'homme d'affaires lui sembla convenir en la circonstance.

– Hé, Charles ! appela l'inspecteur, Vas-y, il est à toi, maintenant.

Un agent au visage poupin, l'air assoupi ou lymphatique, s'approcha d'Antoine :

– Je le mets en bas ?

– A c'te heure-ci, où tu veux ?

– Allez, viens, lève-toi… Par ici.

Le commissariat ne communiquait pas directement avec le poste. Il fallait donc redescendre le petit escalier crasseux et repasser sur le trottoir avant d'arriver sous la lanterne bleue. Tenu mollement par son gardien, Antoine éprouva fortement la première tentation de « la belle ».

Mais déjà l'autre le confiait à un agent bedonnant :

– Tiens, je te le passe. Moi, j'ai la dent.

Il fut mis dans la souricière*. Son voisin, qui avait un air de prince oriental affublé d'un pardessus pour rester dans l'incognito, s'écarta pour le laisser asseoir :

– Qu'est-ce que tu as fait ?

– Je me suis taillé de chez moi... Et vous ?

– Oh ! moi ! dit l'autre avec un geste vague et désabusé qui impliquait des ennuis trop complexes pour qu'il songe seulement à les formuler.

Sur un damier, deux agents jouaient aux petits chevaux et le roulement des dés ponctuait le silence. Un autre lisait *Détective.* Il se leva à regret quand le monte-charge s'arrêta à l'étage pour livrer du charbon...

Le Nord-Africain s'était assoupi. A son tour, Antoine se recroquevilla sur le sol et l'habitude de l'imprimerie aidant, il s'endormit vite...

Un bruit de moteur le réveilla.

– Tiens, voilà les chéries, dit le plus jeune flic.

Et d'un double mouvement de bras, protecteur et ironique :

– Allez, allez ! dit-il en poussant trois filles vers la souricière.

---

* Depuis, une circulaire du Préfet de Police de 1955 l'a, en principe, interdit pour les délinquants mineurs.

Antoine vit leurs jambes et, quand elles furent plus proches, la couleur de leurs culottes.

L'agent bedonnant vint le prendre par la main pour l'enfermer à côté, dans une plus petite cage. En entrant dans la leur, les filles parlèrent comme les trois ours du conte.

– Moi, j'ai vu un commissariat dans un film, c'était drôlement plus propre, dit l'une.

– Moi, j'en ai vu un plus sale, dit l'autre.

Et la troisième :

– Moi, un plus gai !

De sa nouvelle cage, Antoine remarqua que le Nord-Africain lorgnait les intruses d'un œil critique et, un regard suivant l'autre, il les détailla à son tour. Comme elles s'étaient accroupies, les manteaux de fourrure de deux d'entre elles révélaient la même ceinture de faux léopard. La troisième avait le cheveu dru, coupe à la « poil de carotte », ce qui lui donnait un air de jeune page. Elle alluma une cigarette et passa du feu aux deux autres.

De son nouveau point de vue, Antoine examina une affiche dont il ne pouvait lire que le titre : « DÉRATISATION », puis des clés au mur, puis des mitraillettes accrochées, des portemanteaux encombrés de ceinturons, de képis et de pèlerines, puis de nouveau les deux agents qui avaient repris leur partie de petits chevaux…

Il retomba dans le sommeil…

Et le même bruit de moteur le réveilla.

– Le carrosse est avancé, dit le plus doux des flics en prenant sa mitraillette.

– Debout, là-dedans !

Les cages s'ouvrirent dans un cliquetis de clés et de menottes, réservées au Nord-Africain. Comme les filles passaient devant lui, il les insulta à mi-voix en arabe : « *Kharba !* »

– Enfile ton blouson ! dit un agent à Antoine.

Et il le fit monter le dernier dans le panier à salade*.

Sur les boulevards extérieurs, le car prit de la vitesse, tout en avançant par saccades. A travers les barreaux de la lucarne arrière, Antoine voyait défiler un Paris nocturne dont la nouveauté tenait pour lui à ce qu'il lui semblait dérobé aussitôt qu'offert : la fête foraine du boulevard de Clichy et à l'arrière d'une 403 un gros chien loup dont la silhouette se découpait sur le pavé mouillé reflétant le pointillé des ampoules de la fête, puis place Blanche des enseignes monstrueuses : « Narcisse », « Les nus les plus osés du monde... »

Des larmes ruisselèrent sur ses joues, lui brouillant ce mirage d'un monde familier – pour lui Pigalle n'avait rien d'exotique – dont il craignait qu'il lui devînt à jamais défendu, comme s'il passait sans discontinuité de l'interdiction aux mineurs à l'interdiction de séjour.

Prisonnier, prisonnier itinérant dans un Paris clinquant et fugitif, avec derrière lui ce parfum bon marché mêlé au tabac blond de la fumée des filles, il essuya ses larmes sans se retourner, du revers de la manche...

Maintenant, le car se faufilait à travers les camions des Halles, entre des montagnes de cageots et des va-et-vient d'hommes encapuchonnés, là où ils auraient pu vivre des

---

* Aujourd'hui interdit aux mineurs par la circulaire précédemment citée.

années, lui et René, se cachant le jour et faisant la nuit les mille et un travaux des cloches, ou simplement grappillant de quoi subsister dans ces pyramides de verdure et de viande…

Place du Châtelet, les lumières du théâtre le rappelèrent à d'autres spectacles, non pas aux ors et au velours grenat de cette salle terrifiante où le rideau s'ouvrait sur un écœurement de pièce montée, mais à toutes les salles obscures de quartiers, complices et accueillantes, cavernes du rêve et de la chevauchée. Quand retournerait-il au ciné ?…

Des enfilades de couloirs et de grilles, tel apparaissait le Dépôt *. Dans ce cauchemar même pas climatisé, une longue file de délinquants de tous poils se pressait devant le greffe, ensommeillés et broussailleux.

– Ceinture, cravate, lacets… disait le préposé d'une voix lasse.

Antoine remit le tout dans un petit tiroir puis signa, cette fois sans raffinements, le papier qu'on lui tendait. Et il eut enfin droit à une cellule et à une paillasse, où il s'endormit pour la troisième fois cette nuit-là, malgré la lueur permanente de l'ampoule.

Un arrière-fond sonore de voix lointaines, de bruits de serrures et d'ouvertures de portes se rapprochant, le tira

---

* En avril 1958, un décret a autorisé la création au sein même du Dépôt du « Centre d'accueil et de triage des mineurs ». Le 16 mai 1959 (voir reportage de France-soir) le dortoir prévu n'était pas encore achevé, mais les cellules réservées aux mineurs avaient été « crépies de frais ».

du sommeil. Par le judas, on lui tendit un quart de café. Il y goûta, fit la grimace et jeta le tout contre la porte.

Il s'assit sur la paillasse et fouilla les poches de son blouson : plus un seul mégot, mais des bribes de tabac qu'il ramassa patiemment dans le creux de sa main. Un morceau de journal lui permit de rouler une cigarette difforme. Il lui restait deux allumettes, du moins le crut-il dans la pénombre, avant de s'apercevoir que l'une d'elles était déjà flambée. Il se rappela l'histoire du fou qui mettait la bonne allumette de côté après en avoir fait l'essai – mais elle n'était plus drôle du tout.

Le visage plongé dans le creux des mains, il attendit que la petite flamme ait bien pris avant d'aspirer. Il s'allongea de nouveau sur la paillasse et considéra les murs décrépis à travers de lentes volutes de fumée. A la troisième bouffée, il regarda la cigarette : elle était éteinte.

Plus tard, à la Tour Pointue, on prit ses empreintes digitales et on lui fit rédiger trois lignes d'écriture. Le cheveu hirsute, l'air buté, il avait déjà une tête de petit bagnard quand il posa de face et de profil pour l'identité judiciaire, avant d'être emmené en traction noire au tribunal pour enfants.

Le juge venait d'examiner une affaire sordide de petite bonne de quinze ans qui prétendait avoir été violée par son patron, bonnetier en gros, alors qu'il affirmait lui-même la considérer comme sa fille, au point de la faire, paternellement, sauter sur ses genoux. En fait, il avait cédé au chantage d'un jeune Corse rencontré au bal par la fillette. Auparavant, il avait promis à la gamine toute la lingerie de confection qu'elle pouvait désirer, et tout portait à croire qu'elle avait accepté le marché...

Le juge était donc passablement nerveux en face d'une Gilberte lui jouant la comédie de la mère distinguée et accablée :

– ... A la rigueur, on pourrait essayer de le reprendre, mais pour ça il faudrait qu'il s'engage à changer du tout au tout. Si seulement vous arriviez à lui faire peur, monsieur le juge.

– Ce n'est pas mon rôle, Madame.

– Nous, nous n'avons aucun pouvoir sur lui.

– Ou peut-être l'exercez-vous de façon trop... intermittente. Dites-moi, est-il vrai que parfois l'enfant soit resté tout un week-end seul à la maison ?

– Mon mari s'occupe d'un club automobile. Il a pu nous arriver de laisser le petit seul à la maison, quand il s'agissait d'un parcours trop long. D'ailleurs il déteste le sport, il préfère s'enfermer des heures au cinéma à s'esquinter les yeux.

– Il est quand même étonnant que vous ayez attendu quatre jours pour déclarer sa disparition.

– On se doutait bien qu'il était chez son camarade. Mais mon mari ne voulait pas y aller. Il est tellement pris par ce club, et puis ce gosse lui a causé déjà tellement d'ennuis que je n'osais pas insister.

– C'est son fils après tout.

– Ben... euh... non, justement, il m'a épousée quand le petit était en bas âge.

– C'est tout à son honneur.

Elle eut l'air affolé :

– Je n'aurais pas dû vous le dire.

– Mais si, au contraire.

La fréquence des mêmes cas entraînait forcément le juge à réagir selon une classification :

– Réflexion faite, je crois qu'il vaut mieux que nous mettions l'enfant en observation dans un Centre.

– Oh ! si ça pouvait être au bord de la mer ?

– Madame, nous ne sommes pas une colonie de vacances. Je ferai de mon mieux selon les places disponibles. L'enfant y restera deux ou trois mois, le temps que je poursuive mon enquête. Ensuite nous prendrons une décision. Croyez-moi, ce déconditionnement ne peut que lui faire du bien.

Il la raccompagna à la porte en lui donnant le sentiment que son opinion était déjà faite, sinon sur l'enfant, du moins sur elle.

– Au revoir, monsieur le juge.

– Au revoir, Madame.

9

Parmi les quatre-vingt-deux Centres d'Observation pour mineurs délinquants existant en France, chacun a sa personnalité propre. Celui que le juge avait choisi pour Antoine dominait les rives de la Seine, à une quinzaine de kilomètres de la mer. Installé dans une ancienne résidence à prétention de château, il était aussi peu rébarbatif que n'importe quelle colonie de vacances disposant d'un parc et d'un terrain de jeux. Écrivant à René, Antoine y décrivait ainsi ses activités : « Ici, je prends une douche par jour ! Je lis ce qu'il y a, c'est-à-dire *Napoléon à Sainte-Hélène*, *Monte-Cristo*, *Sans Famille*, etc., on fait du calcul, dictée, rédaction, bois, fer, pluches. Je ne sais pas quand j'en sortirai, ça dépendra de l'enquête sur mes parents… »

Après chaque séance de travail ou de jeux éducatifs – parmi lesquels l'enseignement du pipeau s'accordait bien au cadre agreste – les pensionnaires, vêtus de blousons bleus, se mettaient en rangs devant la bâtisse principale avant d'être libérés dans le parc. Dès qu'il entendait : « Rompez ! » le vieux concierge, qui avait l'air d'un garde-chasse, prenait ses trois petites filles par la main et les enfermait dans une volière désaffectée, où elles remplaçaient les colombes de jadis, à l'abri des méchants garçons.

Ce matin-là, le « Ah ! » collectif qui devait marquer le signal de la débandade n'ayant pas été jugé assez joyeux, assez viril, le moniteur de service rapporta son ordre par un : « Revenez ! Autant ! » Ainsi fut redoublé ce rite étrange que les trois petites filles contemplaient, pareilles à des poupées en vitrine derrière leur grillage rouillé.

Et après un « Ah ! » cette fois emphatique, les garçons s'éparpillèrent au gré de leurs affinités. Un caïd, qui n'avait encore jamais adressé la parole à Antoine, s'approcha de lui en « roulant les mécaniques » pour se donner des airs de para :

– Pourquoi t'es tombé, toi ?

Antoine commençait à connaître les astuces et le langage conventionnels du Centre :

– Parce que j'ai glissé.

– Ça va, fais pas le malin.

– J'ai piqué une machine à écrire.

– Une machine à écrire !... Ben, c'est pas fort. T'étais sûr de te faire poisser. Elles sont toutes numérotées les machines à écrire... Tiens, tu vois le grand là-bas, hein ? Ben lui, il piquait des pneus de voiture. Ça c'est du boulot !

Le romantisme du délit gagnait toutes les conversations. C'était à qui en remettrait :

– Moi, à chaque fois que je chialais à la maison, mon père prenait son violon et jouait un air en imitant mes pleurs, et tout ça pour m'emmerder, tu comprends ? disait un garçon au visage vaguement mongol.

Son confident attendait la suite en caressant distraitement les fesses d'un ange de pierre.

– Alors, un jour j'en ai eu marre, j'ai attrapé une crise de nerfs et puis pan ! j' lui ai volé dans les plumes.

– T'as bien fait, moi j'aurais crevé mon vieux s'il m'avait fait ça.

Il arrivait même que certains moniteurs en perte d'autorité se vantent d'un passé difficile, et imaginaire, pour retrouver quelque prestige – le plus grand demeurant, bien sûr, celui de l'évasion.

– Hé, les gars, r'gardez !

Entre deux gendarmes, un adolescent débraillé venait de franchir le portail. La nouvelle fit le tour du parc et tous les blousons bleus affluèrent pour escorter le trio.

– C'est Jeannel qui s'est tiré la semaine dernière par la fenêtre du dortoir.

– Qu'est-ce qu'il va dérouiller !

– J' préfère être à ma place qu'à la sienne.

– Ici, mon vieux, c'est pas interdit de s'évader, c'est interdit de se faire prendre...

Et à mi-voix, de-ci de-là :

– Sales flics !

– En rangs par deux et que ça saute ! cria Lemoine, l'aîné des moniteurs et le seul récupéré de l'administration pénitentiaire, ce qui lui laissait une tendance à ne pas très bien distinguer une Centrale d'un Centre.

Tendant le bras droit, les gosses prirent leurs distances tandis que Jeannel s'éloignait, encadré par les deux cognes, dans une allée hivernale aux perspectives austères comme le jugement dernier.

Les quelques cris séditieux proférés à l'égard de l'autorité avaient mis Lemoine en rogne. Quand les délinquants furent alignés le long des tables du réfectoire, il différa son coup de sifflet pour une inspection rapide des tranches de pain posées dans chaque assiette.

– Dis donc, tu l'as entamé, toi, dit-il à Antoine. Prends ton assiette.

Antoine sortit du rang, son assiette à la main.

– Pose ça là.

Il la posa sur un bahut.

– La droite ou la gauche ? dit-il en tendant ses deux mains.

– La gauche, M'sieur, dit Antoine, choisissant exprès celle du bracelet-montre.

D'un bref regard de complicité virile, Lemoine lui manifesta qu'il appréciait son courage. Il défit son bracelet-montre, le déposa près de l'assiette, et donna à Antoine une gifle assez brutale, mais punitive plutôt que passionnelle.

Des murmures hostiles s'élevèrent dans le réfectoire, et de la table des moniteurs, pour la plupart étudiants en psychologie ou apprentis pédagogues, des regards de réprobation. Lemoine sentit nettement que cette gifle risquait de lui revenir en boomerang par des voies administratives, mais il avait le courage de ses actes, et il resta impassible tout en commandant le silence avant de donner le coup de sifflet d'envoi.

Les délinquants s'assirent bruyamment tandis qu'Antoine, resté seul debout, piquait un morceau de mie dans sa tranche de pain et le mangeait du bout des doigts.

Le soir, un petit commando amical alla rendre visite à l'évadé. Par la lucarne de son cachot, on lui tendit un tube de lait concentré qu'il essaya d'absorber d'un seul trait, en le pressant des deux pouces de bas en haut. Son crâne baissé révélait les ravages d'une tonte partielle dite « à la demi-zéro ».

– J'avais parié que tu t' ferais repiquer, tu vois, j'ai gagné mon pari, dit l'un des visiteurs.

Jeannel releva lentement la tête et d'une voix éraillée qui semblait déjà avoir traîné dans tous les bistros du monde :

– J' m'en fous, dit-il, j' me suis tellement marré pendant cinq jours qu' j' suis prêt à recommencer à la première occase.

– Qu'est-ce que vous foutez là ? dit la voix de Lemoine, qui aimait bien les rondes-surprises.

Jeannel plongea dans son cachot et les autres détalèrent.

La psychologue, que les plus petits appelaient parfois spychologue, occupait une grande place dans les esprits, parce que c'était l'une des rares femmes du Centre et aussi parce qu'elle disposait d'un mystérieux pouvoir. On était convoqué chez elle à l'improviste, par groupes de deux ou trois, et sur le banc d'attente, devant sa porte, les plus anciens affranchissaient les autres :

– Si elle te montre trois images, la première c'est un déménagement, la deuxième c'est la misère et la troisième c'est un homme en prison.

– Si elle te demande de dessiner un arbre, fais un sapin. Vaut mieux faire tous pareil.

– Si elle laisse tomber son crayon, ramasse-le, mais ne regarde pas ses jambes, sinon c'est marqué dans ton dossier.

– Mon dossier, qu'est-ce que c'est ? dit Antoine.

– C'est tout c' qu'on sait sur toi, c' que pense le docteur, c' que pense le juge, enfin même ce que pensent les voisins de tes parents... Moi, mon dossier, j' le connais par cœur, j' l'ai regardé une nuit, je sais qu'y a marqué que je suis un instable psycho-moteur à tendances perverses.

– Et si je dis des conneries, exprès, comme ça ?

– Ben, alors là, t'es bon pour Sainte-Anne, et puis à Sainte-Anne si on te fait passer le 38ᵉ parallèle...

– Doinel ! appela le surveillant.

Elle était jeune, grande, assez jolie malgré ses lunettes, à la fois bien en chair et désincarnée par une sorte de froideur intellectuelle, « un Rubens qui aurait lu *Le Deuxième Sexe* », disait d'elle un surveillant qui avait des lettres.

– Approche, n'aie pas peur. Et surtout, ne crois pas que tu vas passer un examen. Pas du tout. Je veux simplement que nous fassions connaissance. Tu t'appelles Antoine Doinel, et tu as treize ans et demi, n'est-ce pas ?

Il écoutait, sans distinguer les mots, cette voix impersonnelle qui s'efforçait d'être chaleureuse.

– Réponds au moins par oui ou par non.

– Oui, dit-il imperceptiblement.

– Pour commencer, tu vas me dire ce que représente cette image. Regarde bien. Ne t'énerve pas.

Un vieillard barbu traînait une charrette dans un style pathétique très 1900.

– J' sais pas.
– Ta vue est normale ?
– Oui.
– Bon... Celle-ci maintenant.
Un père noble était assis avec une jeune fille sur un banc.
–J' sais pas.
– Mais si, tu sais.
A la dérobée, il l'observa qui découpait avec son ongle une Gauloise dans le sens de la longueur.
– Tu n'as pas envie de rester des heures dans ce bureau ?
Il se souvint vaguement de ce qu'avait dit le copain :
– La misère.
– C'est tout ?
– Oui.
Avec le tabac d'une seule cigarette, elle arrivait à en faire deux.
– Que représente enfin cette troisième image ?
Toujours dans le même style, un vagabond dans un cachot sinistre.
Il la regarda dans les yeux pour dire :
– Un délinquant.
Puis il subit le test des taches d'encre, puis des séries de chiffres de plus en plus longues qu'il lui fallait répéter. Pour se désennuyer, elle remettait de l'ordre sur son bureau, mais elle n'avait pas l'air très douée. Lui, par contre, répétait ses chiffres imperturbablement. Elle fut obligée de caler.
– Maintenant, je vais te lire quelques histoires. A la fin de chaque histoire, je te demanderai de répondre à une question. Tu écoutes ?

– Oui.

Avec le mégot de sa demi-cigarette, elle alluma l'autre moitié. Elle faisait sûrement ça pour fumer deux fois moins.

– Un papa et une maman oiseaux et leur petit oiseau dorment dans le nid sur une branche...

Antoine se rappela un dessin animé en couleurs.

– ... Mais voilà qu'un grand vent arrive, il secoue l'arbre et le nid tombe à terre. Les trois oiseaux se réveillent brusquement. Le papa vole vite sur un sapin, la maman sur un autre sapin. Que fera le petit oiseau ? Il sait déjà un peu voler.

– Il va chez son copain.

– Bon, une autre...

Elle fouilla de nouveau dans ses papiers pour en extraire une autre feuille avec ce flair particulier des désordonnés caractériels.

– Un enfant rentre de l'école, ou de promenade, et sa maman lui dit : ne commence pas tout de suite tes leçons, j'ai une nouvelle à t'annoncer. Qu'est-ce que sa maman va lui dire ?

– Va faire les commissions.

Elle enleva ses lunettes et surprit une lueur de malice dans les yeux d'Antoine. Alors elle lui offrit une Gauloise – tout entière.

Pour élucider son avenir, Gilberte s'en tenait à des méthodes moins scientifiques mais d'une tradition millénaire. Une collègue de bureau lui avait indiqué une voyante « qui lui avait tout prédit, le bon comme le mauvais ».

– ... Vous êtes nerveuse, calmez-vous, concentrez-vous, disait cet augure de quartier en lui tenant la main. Vous avez besoin de changement, bien sûr. Mais voilà, est-ce bien le moment de changer ?

– C'est justement pour ça que je suis venue.

– Je vois une belle éclaircie, c'est certain.

– Ah oui ? dit Gilberte, déjà reconnaissante.

– Mais pas tout de suite, oh ! non, il faut savoir attendre... Pour le moment je vois encore des difficultés... Il y a même des grilles quelque part, quelqu'un derrière les grilles.

– C'est mon fils, dit Gilberte, gagnée par l'évidence.

– Ça n'est pas grave, il va très bien s'en sortir. A condition que vous laissiez agir son destin.

– Mais pour cette personne. Qu'est-ce que vous pensez que je dois faire ?

La voyante interrogea tout en ayant l'air d'affirmer :

– Matériellement, la situation ne se présente pas mal...

– Ça vous pouvez le dire, c'est autre chose que mon mari.

– Bien sûr, c'est appréciable. Seulement tient-il vraiment à vous ?

– Si je le savais ! ...

– Moi, je le vois plutôt cynique.

– Ah ! oui, hein ?

– Il veut se payer du bon temps, mais ce n'est pas un homme de cœur.

– Alors vous croyez que... mon mari.

– Gardez-le, en attendant cette éclaircie... A ce moment-là, je vous conseillerai.

La cigarette fumée, Antoine mis en confiance, la psychologue changea de tactique en lui demandant à brûle-pourpoint :

– Pourquoi as-tu rapporté la machine ?

– Ben... parce que... comme je ne pouvais pas la revendre... comme je pouvais rien en faire...

moi, j'ai eu peur...

je ne sais pas, je l'ai rapportée...

je ne sais pas pourquoi, comme ça...

– Dis-moi, il paraît que tu as volé dix mille francs à ta grand-mère ?

– Elle m'avait invité, c'était le jour de son anniversaire... et puis, alors, comme elle est vieille, elle mange pas beaucoup... et puis elle garde tout son argent... elle en aurait pas eu besoin : elle allait bientôt mourir.

« Alors comme je connaissais sa planque, j'ai été lui faucher... des ronds, quoi ! Je savais bien qu'elle ne s'en apercevrait pas. La preuve c'est qu'elle s'en est pas aperçue ; elle m'avait offert un beau bouquin ce jour-là.

« Alors ma mère, elle avait l'habitude de fouiller dans mes poches, et le soir j'avais mis mon pantalon sur mon lit, elle est sans doute venue et puis elle a fauché les ronds, parce que le lendemain je les ai plus trouvés. Et puis elle m'en a parlé, alors j'ai été bien forcé d'avouer que je les avais pris à ma grand-mère.

« Alors à ce moment-là elle m'a confisqué le beau livre que ma grand-mère m'avait donné !

« Un jour, je l'ai demandé parce que je voulais le lire ; et je me suis aperçu qu'elle l'avait revendu.

– Tes parents disent que tu mens tout le temps ?

– Ben, j' mens, j' mens de temps en temps, quoi...

« Des fois je leur dirais des choses qui seraient la vérité ils me croiraient pas, alors je préfère dire des mensonges.

– Pourquoi n'aimes-tu pas ta mère ?

– Parce que d'abord j'étais en nourrice... et puis quand ils ont plus eu d'argent ils m'ont mis chez ma grand-mère... ma grand-mère elle a vieilli et tout ça... elle pouvait plus me garder... alors je suis venu chez mes parents, à ce moment-là, j'avais déjà huit ans... je me suis aperçu que ma mère, elle m'aimait pas tellement ; elle me disputait toujours et puis, pour rien... des petites affaires insignifiantes... alors aussi j'en... quand... quand il y avait des scènes a la maison, je... j'ai entendu que... que ma mère elle m'avait eu quand elle était... quand elle était... elle m'avait eu fille-mère, quoi... et puis avec ma grand-mère aussi elle s'est disputée une fois... et là j'ai su que... elle avait voulu me faire avorter et puis si je suis né c'était grâce à ma grand-mère.

– Qu'est-ce que tu penses de ton père ?

– Ah ! mon père il est bien gentil comme ça... mais il est un peu lâche parce que... il sait bien que ma mère elle le trompe, seulement pour pas avoir de scènes... rien... il préfère rien dire... rester comme ça...

Il avait baissé la tête quand elle lui posa la question :

– As-tu déjà couché avec une fille ?

Il la regarda par en dessous, avec un petit sourire mi-gêné, mi-insolent, les bras étendus sur la table qu'il tapotait nerveusement du bout des doigts :

– Non, jamais, mais enfin je connais des copains qui ont... qui sont allés... alors ils m'avaient dit : si tu as vachement envie, t'as qu'à aller rue Saint-Denis.

« Alors moi j'y suis allé... et puis j'ai demandé à des

filles et je me suis fait vachement engueuler alors j'ai eu la trouille... et je suis parti et puis je suis venu encore plusieurs fois et puis comme j'attendais dans la rue, il y a un type qui m'a remarqué, qui a dit : « Qu'est-ce que tu fous là ? – c'était un Nord-Africain – hé ben alors je lui ai expliqué – alors il m'a dit, il connaissait sans doute les filles, parce qu'il m'a dit : moi je connais une jeune... quoi, qui va... une jeune quoi... avec les... les jeunes gens... et tout ça... alors il m'a emmené à l'hôtel où elle était... et puis justement ce jour-là elle n'y était pas, alors on a attendu... une heure... deux heures... comme elle ne venait pas... moi je me suis tiré !

La visite avait lieu le dimanche après-midi. Le repas liquidé, les gosses attendaient, collés aux vitres du parloir, l'ouverture des grilles du parc à une heure sonnante.

Dès qu'elles s'ouvrirent, René se faufila devant et arriva l'un des premiers à la table où le concierge vérifiait les entrées :

– Permission du juge ?

– J'en ai pas. Mais c't' un copain. Tenez, il m'a écrit.

Antoine tambourina des doigts sur la vitre pour lui faire signe.

– Je lui apporte un colis.

Antoine distinguait sous la ficelle la couverture du précieux *Cinémonde*. Mais d'un geste désinvolte, le concierge balança le paquet par-dessus son épaule. Après contrôle et censure, on le lui remettrait plus tard. Les doigts d'Antoine se pressèrent sur la vitre. René eut vers lui un geste d'impuissance et il retraversa la cour de gravier.

Devant les grilles ouvertes, la route était maintenant déserte. Malgré une pâle tentative du soleil, l'air de la campagne restait vif et René remit son foulard autour du cou avant d'enfourcher tristement son vélo, vers la gare solitaire au flanc de la colline.

Talons pointus et chapeau cloche un peu trop « couture » par rapport au reste, se frayant passage dédaigneusement parmi le troupeau des mères en fichu ou des grands frères boutonneux, Gilberte surgit à l'improviste dans l'espèce de brouillard mental où le départ de René avait laissé Antoine. Elle l'embrassa du bout des lèvres.

– Ne cherche pas ton père, je suis venue seule... Où peut-on être tranquille ?

– Par ici.

Malgré le froid, la plupart des parents préféraient le parc « à cause du bon air », si bien que le parloir restait assez intime avec son odeur de cire fraîche.

– ... Ta lettre « personnelle » a fait beaucoup de peine à ton père. Tu as été bien naïf de croire qu'il ne me la montrerait pas. Contrairement à certaines apparences, nous formons un couple très uni...

Il la regardait de ce même air incrédule qu'il avait eu naguère dans le lit de ses parents après sa première fugue.

– ... Si j'ai connu une période assez douloureuse dans ma vie, ce n'était pas très malin de la lui rappeler. C'est tout de même grâce à lui que tu as un nom, hein ?

Il fut sur le point d'acquiescer machinalement.

– Nous étions prêts à tenter une expérience en te

reprenant à la maison, mais ce n'est même plus possible à cause des ragots des voisins. Sans compter que tu as dû te plaindre dans tout le quartier.

– C'est pas vrai, M'man, j'ai rien dit.

– Oh, remarque bien que j'ai l'habitude ; toute ma vie, j'ai eu les imbéciles contre moi. Eh bien, voilà, c'est tout ce que j'avais à te dire ; inutile d'apitoyer ton père en jouant les martyrs. Il m'a chargée de te faire savoir qu'il se désintéresse complètement de ton sort, désormais. Tu es bon pour les enfants de troupe ou le centre d'apprentissage. Tu voulais gagner ta vie. Tu verras si c'est amusant de travailler le bois et le fer.

– Mais j'aime ça, dit-il pour masquer son désarroi.

– Eh bien, tant mieux, tant mieux !

« Lorsque par hasard nous sortons des locaux pour aller au village, nous sommes comme fous en voyant simplement la chaussée, un trottoir ou un autocar ; quand nous allons à la radioscopie ou au stade, j'ai une furieuse envie de détaler à toutes jambes… », avait-il écrit à René.

Le lundi matin, sur le chemin du stade, une allégresse de commande, ponctuée de chansons ou de coups de sifflets, pouvait donner le change aux rares passants. Sur la place, un immense sapin de Noël annonçait l'imminence des festivités familiales. Sur les rangs, des préoccupations personnelles s'exprimaient à mi-voix :

– Et ton baveux, il t'a pas aidé ?

– C'était un avocat d'office, il est même pas venu au tribunal. Le jour où je suis passé, j'ai vu arriver un mec que je connaissais même pas.

Alors, imitant une voix de fausset :

– « Maître Parinot plaide à Bordeaux. Mais il m'a confié tout le dossier, monsieur le juge. » J' t'en fous, il le connaissait à peine.

Un autre rêvait :

– Tu vois, ça c'est la Seine, et à quinze kilomètres d'ici, elle se jette dans la mer.

A ces rêves et à ces rancœurs, Antoine participait tout en gardant le sentiment d'une voie profonde, unique, qui l'isolait des autres. De même qu'il chantait ce jour-là avec beaucoup de conviction apparente des mots dépourvus de tout sens, et qu'il feignit pour une fois, au football, de prendre la partie au sérieux, se dépensant avec beaucoup de zèle sinon d'efficacité.

– Par ici, la passe !

– Laisse-moi la balle, dit-il soudain à son voisin d'un ton qui, manifestement, n'avait plus rien à voir avec la partie. Et dribblant un peu trop fort, il s'arrangea pour la mettre hors-jeu, à l'un des coins du stade.

– Hé, par ici !

– Sur moi, Doinel !

Il l'avait ramassée, et des deux mains il la projeta vers l'un de ses coéquipiers. Puis brusquement, alors que l'attention générale était centrée sur le point de chute du ballon, il se retourna et en quelques enjambées il fut contre le grillage qui limitait le stade.

D'un plongeon, il se faufila dessous à plat ventre. Un coup de sifflet retentit, et il partit éperdument à travers champs et taillis tandis qu'une voix lointaine martelait : « Continue, continue ! » remplacée bientôt par des bruits de pas.

L'un des surveillants, un nouveau, était parti à sa poursuite, mais sa haute taille l'avait handicapé pour se glisser sous le grillage si bien qu'Antoine le devançait de plusieurs centaines de mètres. Et le terrain était favorable, tout en dénivellations, coupe de haies et de boqueteaux, plein d'angles morts et de couverts propices.

Il se cacha sous un petit pont couvert de lierre et bientôt, retenant son souffle, il entendit au-dessus les pas maladroits, mal rythmés de son poursuivant. Dès qu'ils se furent affaiblis, il fonça en sens opposé.

Il courait, il courait, droit devant lui, se courbant pour passer sous une plaque indicatrice plutôt que de la contourner ; il longeait des prairies, des vaches, des grillages, des pommiers aux branches torves, il traversait des chemins transformés en fondrières ou un pont en ciment où ses pas résonnaient sans changer de rythme, tout un village assoupi par l'hiver et par le repas de midi, et encore des prairies, des vaches, parmi des haies réduites à leurs épines, encore des murs rongés de lierre et des pommiers chargés de gui. Il courait, il courait, comme il n'avait jamais couru, porté par un sentiment d'ivresse et de nécessité absolue qu'il ne connaîtrait plus jamais.

Si bien que lorsqu'un point de côté le prit, harcelant comme une tenaille, et qu'il lut sur une camionnette « Fourcroy-sur-Mer » et y grimpa clandestinement, même sur place, recroquevillé sous des bâches, il avait encore l'impression que cette course folle continuait à le porter dans un battement de cœur accordé au souffle même de la liberté.

Il descendit en marche à un tournant dès qu'il crut apercevoir un miroitement qui pour lui signifiait la mer. C'était l'estuaire de la Seine étalé devant lui en un vaste panorama. Il se remit à courir dans l'odeur nouvelle de la marée. La longue berge de sable débouchait dans un infini de grisaille d'où cette odeur semblait venir. Comme il courait toujours, son point de côté le reprit, et il dut s'appuyer à un tronc d'arbre.

D'étape en étape, le voila parvenu en fin d'après-midi par un temps gris de mi-décembre en haut de l'escalier qui domine une plage normande. La ligne des flots est si mince, si lointaine, qu'on pourrait la prendre pour une illusion. Au premier contact, le sable est sec et mou. A petites foulées, les coudes collés au corps, il franchit cette première zone vers un déploiement plus dur, plus brillant, où il va sentir sous ses pieds comme un craquèlement de sel. Maintenant le souffle de la mer l'envahit par tous ses pores et il ralentit ses pas à l'approche des vaguelettes mourantes. Puis il avance dans cette fraîcheur qu'il sent d'abord sous ses semelles, soulève un pied, recroqueville l'autre, avance un peu et recule de nouveau, émerveillé par la grandeur de ce pudique baptême des flots sans témoins ni officiant.

Et quand il se retourne, la cérémonie terminée, pour réintégrer notre monde où il est en sursis, guetté par deux gendarmes, et qu'il nous regarde comme tous les enfants nous regardent, c'est à nous de répondre : à qui la faute ? et à nous de lui donner les moyens, sa première révolte dépassée, d'atteindre à l'âge d'homme moins malaisément qu'il n'a franchi le cap de la treizième année.

Ferme d'Augustin,
Ramatuelle, juin 1959.

FRANÇOIS TRUFFAUT
LES 400 COUPS

La vie c'était l'écran

Avant de devenir cinéaste, François Truffaut fut un cinéphile passionné capable de voir trois ou quatre films par jour. Son premier souvenir était *Paradis perdu* d'Abel Gance, qu'il avait vu à l'âge de huit ans.

Ses débuts dans la vie furent difficiles et souvent douloureux, mais il fut sauvé par l'amour des livres et surtout du cinéma qui firent de lui quelqu'un de curieux, d'attentif aux autres et capable de créer.

Il fut élevé en nourrice jusqu'à l'âge de trois ans, puis par ses grands-mères. Sa mère a dix-sept ans quand il naît en 1932, de père inconnu. Elle se marie une année plus tard avec Roland Truffaut, dessinateur chez un architecte, qui reconnaît François comme son fils. Mais ce n'est que des années plus tard que le couple décide de prendre le jeune François avec lui. Celui-ci a alors six ans. Truffaut racontait : « C'est certainement à ma mère que je suis redevable d'avoir très tôt aimé la lecture. Une fois pour toutes elle m'avait interdit de jouer, de bouger ou même d'éternuer. Je ne devais pas quitter la chaise qui m'était allouée mais par contre je pouvais lire à volonté à condition de tourner les pages sans faire de bruit. »

Ses parents sont passionnés de montagne, et comme François déteste la varappe, ils partent parfois sans lui. L'enfant se sent délaissé et il trouve refuge non seulement dans la lecture mais dans les salles de cinéma qui deviennent son vrai « chez soi ». « Le cinéma m'a sauvé la vie », disait-il. Bien que bon élève, il se met rapidement à sécher l'école – qu'il quittera à quatorze ans. Il entrait dans les salles de cinéma par la porte de derrière ou la fenêtre des toilettes, ou bien volait de l'argent pour payer sa place. Bref, il faisait les quatre cents coups en compagnie de son camarade d'école, Robert Lachenay.

Éternel complice, ce dernier sera de toutes les aventures et assistant à la régie des *400 coups*, le film que François Truffaut tourne en 1959. C'est son troisième film, mais son premier long métrage.

Le monde de l'enfance

En avril 1957 Truffaut avait réalisé son premier film, *Les Mistons*, d'après une nouvelle de Maurice Pons, qui montrait une bande d'enfants turbulents harcelant un couple d'amoureux. « En faisant ce film, disait Truffaut, je me suis rendu compte que j'aimais beaucoup travailler avec les enfants. » Le premier projet de son nouveau film s'appelait *La fugue d'Antoine*. Truffaut étoffe son scénario grâce aux souvenirs de son adolescence, l'école de la rue Milton, le Centre d'observation des mineurs de Villejuif, les larcins... Il sollicite son ami Lachenay : « Note des idées, des souvenirs, ressors nos lettres de Villejuif, etc. » Le personnage d'Antoine doit d'ailleurs beaucoup à Lachenay, un vrai meneur. Cinq années de son existence sont ainsi condensées et transposées de l'Occupation et de l'après-guerre, à 1950.

Pour construire personnage et récit, François Truffaut fait appel à un professionnel, Marcel Moussy, romancier et scénariste, auteur d'une série très populaire à la télévision, *Si c'était vous,* réalisée par Marcel Bluwal. Début juin 1958, il lui écrit : « Je sais que vous travaillez vite et que vous construisez avec une rigueur qui me fait bigrement défaut. Par contre, je crois bien connaître cet univers de gosses de douze ans que je veux filmer. » Cette collaboration s'avère fructueuse.

Bien que d'origine biographique, le scénario cherche à « faire passer ce qu'il y a d'universel dans l'enfance ». Truffaut se documente sur la psychologie des adolescents, et surtout, l'enfance difficile, malheureuse, délinquante. Il prend contact avec des juges pour enfants, et des éducateurs, dont Fernand Deligny.

Pour le personnage d'Antoine, il fait passer une annonce dans la presse, mais engage finalement le fils d'un assistant-réalisateur et scénariste à part entière, Pierre Léaud et de l'actrice Jacqueline Pierreux. Truffaut est frappé par ce garçon qui ressemble tant à celui qu'il était à quatorze ans.

« Je crois qu'au départ, écrit Truffaut, il y avait beaucoup de moi-même dans le personnage d'Antoine. Mais dès que Jean-Pierre Léaud est arrivé, sa personnalité, qui était très forte, m'a amené à modifier souvent le scénario. Je considère donc qu'Antoine est un personnage imaginaire qui emprunte un peu à nous deux. »

Son personnage devenait la « synthèse de deux personnes réelles : Jean-Pierre Léaud et moi », ajoutait Truffaut.

Il encourage Léaud à employer ses propres mots, ce qui donne au film un ton inédit, comme improvisé, une innocence.

Comme Antoine Doinel, François Truffaut a fait une fugue à onze ans. Dans le film, Antoine annonce que sa mère est morte. Truffaut – on était alors en pleine période d'Occupation –, avait raconté que son père avait été arrêté par les Allemands ! Il lui était aussi arrivé de voler une machine à écrire pour la revendre ! Comme François, Antoine est passionné par Balzac, il va même jusqu'à plagier un passage de *La Recherche de l'Absolu* dans une rédaction.

Se sentant de trop à la maison, Antoine trouve du réconfort à la fête foraine et découvre le rotor, un énorme cylindre tournant qui ressemble à un zootrope, l'ancêtre de la caméra !

Les 400 coups marquent la naissance d'un cinéaste, celle d'un acteur (Jean-Pierre Léaud) et d'un véritable personnage de roman (Antoine Doinel). Avec Léaud, Truffaut a rencontré son double mais il va faire de lui un acteur à part entière, dont la carrière va en partie se confondre avec les aventures d'Antoine Doinel, qui se poursuivront sous forme de cycle. *Les 400 coups* sera suivi d'*Antoine et Colette*, 1962, *Baisers volés*, 1968, *Domicile conjugal*, 1970, et *L'Amour en fuite*, 1979, où l'on voit Antoine exercer différents métiers, tomber amoureux, se marier, devenir père, divorcer, écrire un livre, dans une quête éperdue de soi. Le cinéma de Truffaut devient alors « un cinéma de la mémoire, de la jeunesse et de sa nostalgie. » Il filme « le temps qui passe sur le visage et la silhouette d'un acteur (...) entre quatorze et trente-quatre ans ! »

L'ÉVÉNEMENT DU FESTIVAL

Avant de tourner des films, François Truffaut avait été un brillant et redouté critique de cinéma. Durant quatre ans, il avait durement critiqué le Festival de Cannes qu'il qualifiait « d'échec dominé par les combines, les compromis et les faux pas. » Pourtant son film *Les 400 coups* va constituer l'événement du festival de l'année 1959. Le comité de sélection a aimé le film. Truffaut est présent à Cannes avec son équipe, des amis, sa femme, et le jeune Léaud. Le public est bouleversé, c'est un triomphe. Léaud devient une vedette. Le jury accorde au film un prix de la mise en scène. *Les 400 coups* propulse le critique au rang de cinéaste. C'est l'un des plus grands succès de Truffaut qui va le faire connaître dans le monde entier, et avec *A bout de souffle* de Godard, l'un des deux films phare de la Nouvelle Vague (450 000 spectateurs chacun).

Conception de mise en page : Françoise Pham

Loi n°49-956 du 16 juillet 1949
sur les publications destinées à la jeunesse
ISBN 2-07-052819-7
Numéro d'édition : 91892
Dépôt légal : octobre 1999
Imprimé en France par l'Imprimerie Hérissey, à Évreux
Numéro d'impression : 48560